EN CON

B2

EXERCICES DE
GRAMMAIRE

Anne Akyüz
Bernadette Bazelle-Shahmaei
Joëlle Bonenfant
Marie-Françoise Orne-Gliemann

hachette
FRANÇAIS LANGUE ÉTRANGÈRE

Nous avons fait notre possible pour obtenir les autorisations de reproduction des documents publiés dans cet ouvrage. Dans le cas où des omissions ou des erreurs se seraient glissées dans nos références, nous y remédierons dans les éditions à venir.

Conception graphique
Couverture : Christophe Roger
Intérieur : Eidos

Suivi éditorial
Françoise Malvezin / Le Souffleur de mots

Réalisation
Mise en pages : IDT – Mediamax

Enregistrements audio, montage et mixage
QUALI'SONS (David HASSICI)

Crédits photographiques : © Shutterstock

ISBN : 978-2-01-401635-2

© Hachette Livre 2019
58, rue Jean Bleuzen, CS 70007, 92178 Vanves Cedex

www.hachettefle.com

MODE D'EMPLOI

La notion grammaticale travaillée

Des objectifs fonctionnels pour utiliser la langue en situation de communication

Des mémos pour vous guider

Des tableaux synthétiques avec un code couleur pour réviser les règles

Des exercices audio pour travailler la grammaire à l'oral

Des exercices progressifs avec un lexique maîtrisé

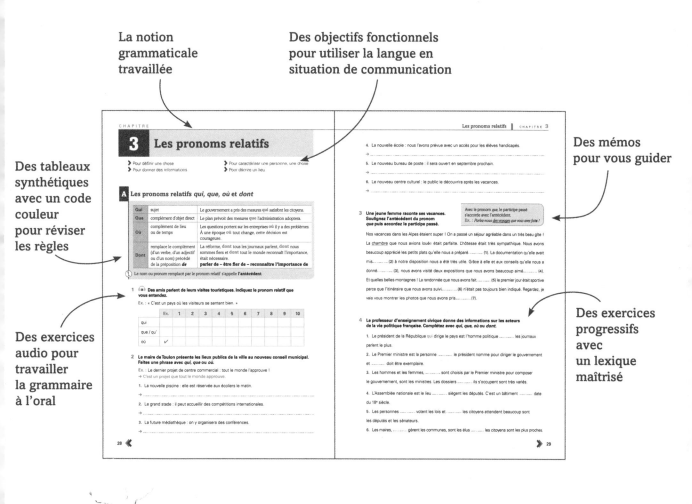

Des bilans en fin de chapitre

Les corrigés et les transcriptions des exercices audio

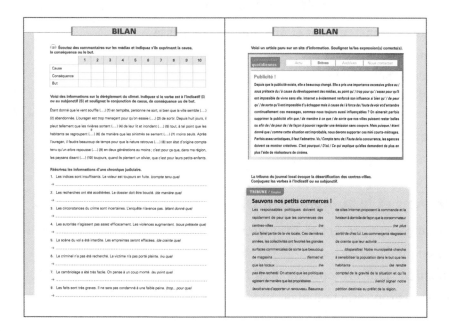

SOMMAIRE

Les temps du passé **1**

❯ Pour raconter au passé
❯ Pour dire ce que l'on a fait
❯ Pour dire ce qui s'est passé

❯ Pour décrire au passé
❯ Pour décrire un lieu
❯ Pour donner une explication

A L'accord du participe passé

Accord avec le sujet – verbes conjugués avec *être* – verbes essentiellement pronominaux – verbes pronominaux à sens passif	**Sophie et Roxane** sont all**ées** faire des achats. **La vendeuse** s'est empress**ée** auprès de ses clients. L'été dernier, **les vêtements en lin** se sont bien vend**us**.
Accord avec le COD placé avant le verbe – verbes conjugués avec *avoir* – verbes occasionnellement pronominaux	**La veste** que j'ai achet**ée** en soldes ne me va plus. Sophie et Roxane **se** sont v**ues** hier. J'aime beaucoup **les pulls** que Marie s'est achet**és**.
Pas d'accord du participe passé – verbes impersonnels – pronom *en*	J'ai été surprise par la foule qu'**il y a eu** le premier jour des soldes. Combien **en** as-tu acheté ?

1 **Hugo raconte son voyage en train. Soulignez le mot avec lequel le participe passé est accordé.**

Ex. : Les <u>billets</u> ont été compostés.

1. Les villes que nous avons traversées étaient très belles.

2. Certains voyageurs se sont trompés de place.

3. La cliente qui s'est assise en face de moi dérangeait tout le monde.

4. Les contrôleurs, on ne les a pas vus.

5. Beaucoup de gens se sont endormis.

6. C'était une valise que quelqu'un avait oubliée devant les toilettes.

7. Les places que nous avons réservées ne coûtaient pas cher.

8. Les téléphones portables, on les a entendus sans arrêt.

9. Les deux passagères près de moi sont parties à la voiture-bar.

10. Les sandwichs que mes amis avaient apportés étaient délicieux.

11. Notre amie nous a rejoints à Lyon.

2 **Lisez les phrases.**
a. Indiquez s'il y a accord du participe passé ou non.

	Accord	Pas d'accord
Ex. : Les candidats ont débattu sur les questions environnementales.	☐	☑
1. Les discours que nous avons écoutés étaient parfois trop techniques.	☐	☐
2. Deux jeunes de moins de trente ans se sont présentés aux élections.	☐	☐
3. Elle s'est inscrite sur les listes électorales à l'âge de 18 ans.	☐	☐
4. Quentin est contre les institutions et n'a jamais voté.	☐	☐
5. Plus de 4 millions de personnes ont suivi le débat télévisé.	☐	☐
6. Des militants ont distribué des tracts à la sortie du métro.	☐	☐
7. Ils se sont partagé les tracts.	☐	☐
8. Ils se sont souvenus de leur dernier vote.	☐	☐
9. Des affiches ? Le conseil municipal en a collé partout.	☐	☐
10. Nous sommes allés voter dès l'ouverture du bureau de vote.	☐	☐

b. Justifiez vos réponses. Écrivez le numéro des phrases de la partie a.

Accord avec le sujet : ....

Accord avec le COD placé avant le verbe : ....

Pas d'accord car pas de COD : Exemple, ...

Pas d'accord car le COD est placé après le verbe : ....

Pas d'accord avec le pronom *en* **:** ....

3 **Noémie raconte à Cécile ce qui s'est passé avec son titre de transport. Complétez avec le participe passé.**

– Cécile, les tickets de métro que tu m'as donnés *(donner)* n'étaient pas valables !

– Ah bon ? Pourtant, je les ai .... **(1)** *(acheter)* au guichet. C'est peut-être ceux que j'avais .... **(2)** *(utiliser)* et que j'avais .... **(3)** *(oublier)* dans ma poche. Je me suis trompée, désolée !

– Ce n'est pas grave, j'ai .... **(4)** *(prendre)* une carte d'abonnement, c'est plus économique.

– Elle t'a .... **(5)** *(coûter)* combien ?

– 76 euros. Mais je vais être remboursée de la moitié, l'entreprise où je fais mon stage m'a .... **(6)** *(prévenir)*.

– Tu as de la chance, jusqu'à maintenant, c'est toujours moi qui ai .... **(7)** *(payer)* mes tickets !

4 **Soulignez la forme correcte.**

Ex. : <u>Elle s'est permis</u> / Elle s'est permise

1. Ils se sont demandés / Ils se sont demandé

2. Elles se sont promis / Elles se sont promises

3. Nous nous sommes rencontré / Nous nous sommes rencontrés

4. Vous vous êtes succédées / Vous vous êtes succédé

5. Ils se sont suivis / Ils se sont suivi

6. Vous vous êtes téléphonés / Vous vous êtes téléphoné

> Ne pas confondre les pronoms COD et COI.
> **Ex. :** *Ils **se** sont vus. (voir quelqu'un)*
> *Ils **se** sont parlé. (parler à quelqu'un)*

5 **Valérie raconte la rencontre de ses parents. Accordez le participe passé si nécessaire.**

Mes parents se sont rencontrés *(se rencontrer)* un soir chez des amis. D'abord, ils .... **(1)** *(ne pas se remarquer)*, il y avait beaucoup de monde. Et puis, à un moment, ils .... **(2)** *(se regarder)*, puis ils .... **(3)** *(se sourire)* et finalement, ils .... **(4)** *(se parler)*. Après ce jour-là, ils .... **(5)** *(se téléphoner)*, souvent, ils .... **(6)** *(se revoir)*, ils .... **(7)** *(se promener)*, ils .... **(8)** *(se raconter)* leur vie et c'est ainsi qu'ils .... **(9)** *(s'apprécier)* de plus en plus. Parfois pourtant, ils .... **(10)** *(se disputer)* mais, très vite, ils .... **(11)** *(se réconcilier)*.

6 **Transformez avec *se faire*.**

Ex. : On les a arrêtés. → Ils se sont fait arrêter.

> *Se faire* + infinitif : pas d'accord du participe passé.
> **Ex. :** *Elle s'est fait critiquer.*

1. On l'a interpellée. → ....

2. On les a abordés. → ....

3. On m'a aidée. → ....

4. On vous a maltraités. → ....

5. On les a influencées. → ....

6. On t'a guidée. → ....

7 **Manon raconte sa soirée. Accordez le participe passé si nécessaire.**

Ex. : Ce soir-là, il y avait Clara, on l'a écoutée jouer du violon.

> Verbes de perception + infinitif : accord du participe passé avec le COD quand le COD fait l'action de l'infinitif. **Ex. :** *Clara, on l'a entendu**e** répéter le spectacle.*

1. Elle a aussi chanté, et on l'a même entendu.............. faire une petite fausse note !

2. Il y a eu des chansons que j'avais souvent entendu.............. chanter.

3. Toutes sortes de gens étaient costumés : on les a vu.............. arriver discrètement.

4. J'ai bien aimé les quelques feux d'artifice qu'on a vu............... lancer.

5. Il y avait une atmosphère magique qu'on a senti............... s'installer peu à peu.

6. J'étais avec mon mari, les gens nous ont regardé............... danser, et ils ont applaudi !

7. Soudain, c'était la nuit avec plein d'étoiles qu'ensemble, on a regardé............... s'allumer.

8 **Deux amies, Lola et Maude, parlent de leurs achats. Conjuguez au passé composé.**

– J'adore tes chaussures, tu les a eues *(avoir)* où ?

– Chez AVR ; j'y .... **(1)** *(aller)* avec ma mère la semaine dernière ; je ....

.... **(2)** *(les / se faire offrir)* pour mon anniversaire.

– Ils ont toujours de beaux modèles. Tu sais, mes bottes grises, je .... **(3)**

(les / s'acheter) chez eux l'an dernier, elles sont superbes.

– C'est vrai. Dis, il nous faut un cadeau original pour les 40 ans de Carole ; tu ....

.... **(4)** *(en / parler)* à son mari ? Il te .... **(5)** *(donner)* une idée ?

– Non, mais je sais qu'elle .... **(6)** *(se commander)* un tout nouveau service de

table ; on pourrait le compléter.

– Oui, c'est une bonne idée. J'ai appris qu'ils partaient en Inde en décembre, ils .... **(7)**

(se réserver) plusieurs visites sur place. On pourrait ajouter une ou deux nuits dans un bel hôtel ?

9 **Hier, Pauline était au Trocadéro. Elle envoie un mél à sa famille pour dire ce qui s'est passé. Soulignez la forme correcte du participe passé.**

Bonjour tout le monde,

Un petit mot pour vous faire part de ce qui nous est *arrivées / arrivé*. Nous étions toutes les deux,

Isabelle et moi, sur l'esplanade du Trocadéro et une fille s'est *approché / approchée* **(1)** pour nous

demander de la prendre en photo. Je l'ai *pris / prise* **(2)** en photo et je lui ai *rendu / rendue* **(3)**

son appareil. Elle l'a *repris / reprise* **(4)**, elle nous a *remerciés / remerciées* **(5)** et elle est *partie / parti* **(6)**

un peu plus loin et, ensuite, elle est *revenu / revenue* **(7)**, et elle nous a *demandé / demandées* **(8)**

deux euros. Je lui ai *dit / dite* **(9)** que je n'avais pas de monnaie mais elle s'est *mise / mis* **(10)** en

colère et nous a *injuriée / injuriées* **(11)**. Nous nous sommes enfuies. Heureusement, elle ne nous a

pas *suivi / suivies* **(12)**. Je me suis *souvenue / souvenu* **(13)** que vous m'aviez *répété / répétée* **(14)** de

faire attention et je me suis *dit / dite* **(15)** que vous aviez raison. C'est vraiment une drôle d'histoire !

J'essaie de vous appeler demain soir.

Je vous embrasse.

Pauline

B Le passé composé, l'imparfait, le plus-que-parfait et le passé surcomposé

Les valeurs du passé composé, de l'imparfait et du plus-que-parfait

Le passé composé – pour raconter un fait ponctuel – pour raconter une succession d'actions – pour exprimer un fait ponctuel répété – pour exprimer un fait avec une durée précisée	La police **a arrêté** le voleur **hier matin**. Les policiers **ont lancé** un appel à témoin et **ont reçu** une dizaine d'appels. Ils **ont interrogé** un témoin **plusieurs fois**. L'enquête **a duré plusieurs mois**.
L'imparfait – pour décrire (une personne, une situation, un lieu) – pour donner une explication – pour exprimer une habitude – pour exprimer une action en train de se dérouler	Le suspect **portait** un costume sombre. Il a commis ces vols parce qu'il **voulait** se rendre important. Il **observait** les habitudes de ses victimes. Quand on l'a arrêté, il **essayait** de fuir.
Le plus-que-parfait pour exprimer l'antériorité d'une action par rapport à une autre action au passé composé ou à l'imparfait	Les enquêteurs ont analysé les témoignages qu'ils **avaient reçus** : l'escroc **avait** déjà **trompé** une dizaine de commerçants.

10 **Dans son roman** *La Chambre des officiers,* **Marc Dugain raconte un événement passé. Conjuguez au passé composé.**

J'ai été *(être)* le premier à occuper cette chambre. En treize mois, je .... **(1)** *(voir)*

défiler de nombreux camarades. Certains nous .... **(2)** *(quitter)* sans plus de bruit qu'ils

n'en avaient fait pour venir. D'autres, réparés tant bien que mal, ... **(3)** *(rejoindre)*

leur famille. Tous nous .... **(4)** *(encourager)* et .... **(5)** *(promettre)*

de nous écrire pour nous dire ce qui avait changé dehors, et tous le .... **(6)** *(faire)*.

Pendant un an, nous .... **(7)** *(rester)* dans cette chambre sans nous en éloigner

autrement que pour parcourir le couloir circulaire à petites enjambées timides.

Aucune musique autre que celle de la douleur ne .... **(8)** *(parvenir)* jusqu'à nos oreilles.

Nous .... **(9)** *(ingurgiter)* sept cent quatre-vingt-cinq bols de soupe mélangée à de

la viande hachée, et seul l'éther .... **(10)** *(pouvoir)* réveiller notre odorat résigné.

Dugain Marc, *La Chambre des officiers*, © Éditions Jean-Claude Lattès, 1998.

11 **Dans son roman *Désert*, J.-M. G. Le Clézio fait une description du lieu. Conjuguez à l'imparfait.**

En tête de la caravane, il y avait *(avoir)* les hommes, enveloppés dans leur manteau de laine, leur visage masqué par le voile bleu. Avec eux .... **(1)** *(marcher)* deux ou trois dromadaires, puis les chèvres et les moutons harcelés par les jeunes garçons. Les femmes .... **(2)** *(fermer)* la marche. Ce .... **(3)** *(être)* des silhouettes alourdies, encombrées par les lourds manteaux, et la peau de leurs bras et de leur front .... **(4)** *(sembler)* encore plus sombre dans les voiles d'indigo. Ils .... **(5)** *(marcher)* sans bruit dans le sable, lentement, sans regarder où ils .... **(6)** *(aller)*. Le vent .... **(7)** *(souffler)* continûment, le vent du désert, chaud le jour, froid la nuit.

Le Clézio Jean-Marie Gustave, *Désert*, © Gallimard, 1980.

12 **Soulignez la forme correcte dans ce récit d'un souvenir d'orage.**

En deux minutes, le temps *changeait / a changé*. Le ciel, qui *était / a été* **(1)** si bleu, *devenait / est devenu* **(2)** soudain noir comme de l'encre à cause de l'orage qui *s'approchait / s'est approché* **(3)**. Bientôt, une grosse pluie *commençait / a commencé* **(4)** à tomber puis le vent *se levait / s'est levé* **(5)** et il y *avait / a eu* **(6)** des éclairs. Dans la rue, la circulation *s'accélérait / s'est accélérée* **(7)** parce que chacun *voulait / a voulu* **(8)** rentrer chez soi rapidement. L'orage *passait / est passé* **(9)** juste au-dessus de la petite ville ; la foudre *tombait / est tombée* **(10)** sur le clocher de l'église. Heureusement, le soleil *revenait / est revenu* **(11)** et la chaleur *séchait / a séché* **(12)** rapidement les flaques d'eau. Les enfants *retournaient / sont retournés* **(13)** à leurs jeux.

13 🎧 02 **Des étudiants parlent de leur formation supérieure. Indiquez le temps utilisé dans les phrases.**

Ex : « Je me suis inscrite trop tard. »

	Ex.	1	2	3	4	5	6	7	8	9	10
Passé composé	✔										
Imparfait											
Plus-que-parfait											

14 **Réécrivez le texte à l'imparfait ou au plus-que-parfait.**

Richard fait beaucoup de vélo. Il adore la compétition. Il s'est inscrit dans un club, il a remporté plusieurs victoires.

Avant son accident, Richard faisait ....

....

15 **L'écrivain Hugues Delalande est interviewé par une journaliste. Conjuguez au passé composé, à l'imparfait ou au plus-que-parfait.**

– Hugues Delalande, bonjour ! Dites-nous : comment devient-on écrivain ?

– J'ai toujours voulu *(toujours vouloir)* être écrivain. Je _____ **(1)** *(avoir)* à peine six ans quand je _____ **(2)** *(écrire)* mes premières lignes, pas des récits complets, juste des mots jetés sur le papier. D'ailleurs, je _____ **(3)** *(écrire)* sur des feuilles de papier qui _____ **(4)** *(traîner)* dans la maison. Et je _____ **(5)** *(demander)* à ma mère de coudre les feuilles ! Je _____ **(6)** *(être)* très fier de mes « livres », et sur la dernière page _____ **(7)** *(figurer)* la liste de mes « œuvres » déjà existantes ! Et même, je _____ **(8)** *(prévoir)* une collection imaginaire qui _____ **(9)** *(s'appeler)* « Les Deux Ours » et qui _____ **(10)** *(réunir)* mes récits et ceux de mon frère. Vous voyez, on _____ **(11)** *(avoir)* tous les deux un penchant pour la littérature !

– Mais vous seul _____ **(12)** *(devenir)* un écrivain de talent !

– Mon frère _____ **(13)** *(faire)* une carrière d'océanographe.

– Vous _____ **(14)** *(publier)* très jeune.

– Oui, à l'âge de 19 ans. Mais avant ce premier roman, je _____ **(15)** *(envisager)* un atlas imaginaire d'une île du Pacifique que mes parents _____ **(16)** *(quitter)* jeunes.

– Après tous vos romans, qui _____ **(17)** *(connaître)* un succès mérité, nous attendons cet ouvrage !

Le passé surcomposé

Il marque **l'antériorité immédiate** d'une action par rapport à un fait au passé composé avec : *après que, aussitôt que, dès que, lorsque, quand, une fois que.*

Formation	Exemple
avoir ou être **au passé composé** **+ participe passé**	Aussitôt qu'il **a eu fini** son café, il est sorti du bar. Dès que j'**ai été revenue**, il a quitté la salle.

(!) **L'utilisation du passé surcomposé n'est pas obligatoire.** Il peut être remplacé par un passé composé mais jamais par un plus-que-parfait. On ne l'utilise pas avec les verbes pronominaux.

16 🎧 03 **Écoutez et indiquez les verbes au passé surcomposé.**

Ex. : « tu as eu compris »

	Ex.	1	2	3	4	5	6	7	8	9	10
Passé surcomposé	✔										

17 **Écrivez les phrases au passé composé et au passé surcomposé pour exprimer l'antériorité immédiate d'une action.**

Ex. : Dès que / ils / rentrer – on / leur expliquer le fonctionnement.

→ Dès qu'ils ont été rentrés, on leur a expliqué le fonctionnement.

 1. aussitôt que / vous / arriver – vous / nous faire la démonstration.

→ ....

2. une fois que / il / essayer – il / nous montrer comment ça marchait.

→ ....

3. dès que / je / tester le produit – je / décider de l'acheter.

→ ....

4. une fois que / tu / finir ce jeu – tu / avoir envie de le recommencer.

→ ....

5. quand / je / comprendre le système – je / vous en parler.

→ ....

6. dès que / elle / descendre de l'avion – elle / vouloir y remonter

→ ....

18 **Écrivez des phrases pour exprimer l'antériorité immédiate d'une action.**

Ex. : Il m'a annoncé la bonne nouvelle – J'ai sauté de joie – Quand

→ Quand il m'a eu annoncé la bonne nouvelle, j'ai sauté de joie.

1. elle a avalé un comprimé – elle s'est sentie mieux – une fois que

→ ....

2. je suis sortie de chez moi – il a commencé à pleuvoir – dès que

→ ....

3. il a pris sa décision – personne n'a pu le faire changer d'avis – aussitôt que

→ ....

4. ils ont compris leur erreur – ils nous ont présenté leurs excuses – après que

→ ....

5. on a réalisé qu'il mentait sans arrêt – on a décidé de ne plus le revoir – une fois que

→ ....

6. ils sont montés en voiture – j'ai démarré – dès que

→ ....

C Le passé simple

La formation du passé simple

On utilise le radical de l'infinitif auquel on ajoute les terminaisons.
Les terminaisons du passé simple dépendent de l'**infinitif** du verbe **ou** de son **participe passé**.

-ai, -as, -a, -âmes, -âtes, -èrent	-is, -is, -it, -îmes, -îtes, -irent	-us, -us, -ut, -ûmes, -ûtes, -urent
Participe passé en -é acheter : j'achet**ai** arriver : nous arriv**âmes** employer : il employ**a** forcer : nous forç**âmes** jeter : tu jet**as** vérifier : ils vérifi**èrent**	**Participe passé en -i, -is, -it, -ert** finir : je fin**is** acquérir: nous acqu**îmes** dire : ils d**irent** offrir : vous offr**îtes** **Infinitif en -re, -cre, -dre, -pre,** **-oindre, -eindre, -aindre** mettre : je m**is** craindre : tu craign**is** prendre : ils pr**irent**	**Participe passé en -u** courir : ils cour**urent** lire : je l**us** conclure : il concl**ut** taire : nous t**ûmes** falloir : il fall**ut** savoir : vous s**ûtes** paraître : ils par**urent**

(!) Verbes irréguliers : avoir (j'eus), être (tu fus), faire (il fit), mourir (elle mourut), naître (nous naquîmes), tenir et ses composés (vous tîntes), venir et ses composés (ils vinrent), voir (elles virent)
Le radical peut être irrégulier : écrire (j'écrivis), craindre (ils craignirent)...

19 **Dans _Le Roman de la momie_, Théophile Gautier raconte la découverte d'une momie. Relevez les verbes au passé simple et écrivez leur infinitif.**

On parvint bientôt à la vallée. Le Grec s'arrêta devant une énorme pierre et s'écria satisfait : « C'est là. » Puis il courut chercher des paysans qui sortirent comme par magie des fissures des rochers. Ils se mirent à l'œuvre avec acharnement. Alors, l'énorme pierre roula et se rompit en bas de la pente. Je ne pus me retenir d'encourager le lord anglais à haute voix : « C'est à vous de piocher à présent. » Le lord commença à creuser ; enfin, il découvrit ce qu'il cherchait. Le sarcophage apparut.

D'après Gautier Théophile, _Le Roman de la momie_, 1858

Passé simple	Infinitif	Passé simple	Infinitif
Ex. : parvint	parvenir		

20 **Écrivez les verbes au passé simple.**

Ex. : Avoir → ils eurent

1. Aller → elle ....

2. Être → je ....

3. Faire → ils ....

4. Demander → vous ....

5. Répondre → nous ....

6. Prendre → je ....

7. Lire → elles ....

8. Revenir → il ....

9. Passer → ils ....

10. Tenir → nous ....

21 **Voici un extrait de roman policier qui raconte un événement passé.**
a. Soulignez les verbes au passé simple.

Après cette interminable journée, Gustave <u>rentra</u> chez lui vers onze heures du soir. Il prit un long bain pour se détendre. Puis, il se mit dans son fauteuil, alluma un cigare, ouvrit le journal et quelle ne fut pas sa stupéfaction quand il vit les gros titres : « Léon Léonin libéré ». Il n'en crut pas ses yeux, il faillit lâcher son cigare, la panique monta en lui, des gouttes de transpiration perlèrent à son front. Et soudain, il entendit les trois coups de sonnette si familiers ! Son sang ne fit qu'un tour. Il resta paralysé dans son fauteuil. Une clé tourna dans la serrure et il aperçut la haute silhouette d'un inconnu dans le vestibule...

b. Complétez le tableau avec l'infinitif des verbes de la partie a.

-ai, -as, -a, -âmes, -âtes, -èrent	-is, -is, -it, -îmes, -îtes, -irent	-us, -us, -ut, -ûmes, -ûtes, -urent
Ex. : rentrer		

L'emploi du passé simple

Le passé simple a les mêmes valeurs que le passé composé, mais avec une notion de distance par rapport au fait passé. Il est employé **à l'écrit** dans un récit littéraire, un conte, une biographie, un récit historique.	Cendrillon et son prince **se marièrent**, **furent** heureux et **eurent** beaucoup d'enfants. Ce pays **connut** plusieurs révolutions au cours de son histoire.

22 **Réécrivez la biographie de Guy de Maupassant au passé simple.**

> Le passé simple peut avoir la même valeur que le présent de narration.

Guy de Maupassant (1850-1893)

Après une enfance libre et heureuse en Normandie, il assiste à la défaite de 1870, puis accepte un emploi de fonctionnaire à Paris. Parallèlement à une vie sportive et joyeuse, il fait son « apprentissage » sous la direction de Flaubert qui lui présente Daudet et Zola. *Boule de suif*, une des nouvelles qu'il écrit en 1880, détermine sa vocation de conteur et lui assure le succès. Il vit désormais de ses livres et publie près de trois cents nouvelles en dix ans. La fin de sa vie est cependant assombrie par des troubles nerveux et la hantise de la mort. Il a une fin pénible puisqu'il meurt après dix-huit mois d'internement.

Après une enfance libre et heureuse en Normandie, il assista ....

....

....

....

....

....

....

....

23 **Retrouvez l'extrait original de *La Dame aux camélias*. Barrez les verbes au passé composé et conjuguez-les au passé simple.**

~~J'ai pris~~ Je pris la clé de l'appartement de la rue d'Antin, et après avoir dit adieu à Nanine, qui m'avait accompagné jusqu'à la grille, je suis parti .... **(1)**. Je me suis mis .... **(2)** d'abord à courir, mais la terre était fraîchement mouillée, et je me fatiguais doublement. Au bout d'une demi-heure de cette course, j'ai été forcé .... **(3)** de m'arrêter, j'étais en nage. J'ai repris .... **(4)** haleine et j'ai continué .... **(5)** mon chemin. La nuit était si épaisse que je tremblais à chaque instant de me heurter contre des arbres [...]. Une calèche se dirigeait au grand trot du côté de Bougival. Au moment où elle passait devant moi, l'espoir m'est venu .... **(6)** que Marguerite était dedans.

Je me suis arrêté .... **(7)** en criant : « Marguerite ! Marguerite ! »

Mais personne ne m'a répondu .... **(8)** et la calèche a continué .... **(9)** sa route. Je l'ai regardée .... **(10)** s'éloigner, et je suis reparti .... **(11)**.

J'ai mis .... **(12)** deux heures pour arriver à la barrière de l'Étoile. La vue de Paris m'a rendu .... **(13)** des forces, et j'ai descendu .... **(14)** en courant la longue allée que j'avais parcourue tant de fois.

Alexandre Dumas fils, *La Dame aux camélias*, 1848.

BILAN

1 🎧 **04** **Écoutez et indiquez le temps des verbes.**

	1	2	3	4	5	6	7	8	9	10	11	12
Passé composé												
Imparfait												
Plus-que-parfait												
Passé surcomposé												
Passé simple												

2 **Voici des phrases extraites de la rubrique *Justice* d'un quotidien. Accordez le participe passé des verbes.**

1. De nombreuses personnes se sont rendu............... au procès de Justin B.

2. Les témoignages que la Cour a entendu............... étaient bouleversants.

3. L'avocat a conclu............... sa plaidoirie en demandant la clémence des jurés.

4. Ceux-ci ont délibéré............... plusieurs heures.

5. La peine qu'avait requis............... l'avocat général semblait très sévère.

6. La Cour a condamné............... l'accusé à cinq ans de prison.

7. Cette décision, les personnes présentes l'ont beaucoup commenté............... .

8. Les parents de la victime se sont exprimé............... après le verdict.

9. Dès qu'ils ont été sorti..............., ça a été la cohue.

10. Les journalistes s'étaient regroupé............... devant le palais de justice.

3 **Bérangère raconte à un ami sa soirée dans un restaurant. Soulignez le temps correct.**

Avec Huguette, hier soir, nous *étions / avons été / avions été* **(1)** assises depuis quelques minutes au restaurant quand nous *avions remarqué / remarquions / avons remarqué* **(2)** une femme qui *a dîné / dînait / avait dîné* **(3)** seule à une petite table non loin de nous. Dès que nous l'*avons vue / voyions / avions vue* **(4)**, nous l'*avions trouvée / trouvions / avons trouvée* **(5)** vraiment singulière : elle ne *s'est pas assise / s'asseyait pas / s'était pas assise* **(6)** face à sa table et puis elle *a bougé / avait bougé / bougeait* **(7)** sans arrêt. Elle *était / avait été / a été* **(8)** assez jeune, un peu grosse et *a semblé / semblait / avait semblé* **(9)** très préoccupée d'elle-même au point de ne pas voir les gens autour d'elle. Surtout, elle *appelait / a appelé / avait appelé* **(10)** constamment le garçon et, à chaque fois, lui *a commandé / avait commandé / commandait* **(11)** un autre vin ou un autre plat et lui *posait / avait posé / a posé* **(12)** des questions concernant le menu. Quand le garçon *venait / est venu / était venu* **(13)** lui demander ce qu'elle *a voulu / voulait / avait voulu* **(14)** comme dessert, nous *nous disions / nous sommes dit / nous étions dit* **(15)** qu'elle refuserait, vu la quantité de nourriture qu'elle *a engloutie / engloutissait / avait engloutie* **(16)**. Mais nous *étions restées / sommes restées / restions* **(17)** sans voix quand elle *a demandé / avait demandé / demandait* **(18)** une omelette norvégienne pour deux personnes !

BILAN

4 Sandra raconte son parcours professionnel sur son blog.
Complétez son témoignage au passé composé, à l'imparfait ou au plus-que-parfait.

http://www.blogdesandra.fr

| BLOG DE SANDRA | Sommaire | Diaporama | Livre d'or | Contact |

MON PREMIER EMPLOI

publié le 20 décembre 2018

Pendant ma dernière année d'études, j'.. *(faire)* un stage

de quatre mois comme secrétaire chez un médecin qui ....

(avoir besoin) d'une assistante car il .... *(s'installer)* peu de temps auparavant.

Je .... *(ne jamais travailler)* et au début le rythme ....

(être) difficile. Je .... *(souffrir)* ! Pendant ce stage, je ....

(acquérir) une bonne expérience de gestion car c'est moi qui .... *(prendre)*

les rendez-vous et .... *(organiser)* la journée du médecin. Après ce stage, je

.... *(terminer)* mes études mais je .... *(rester)* en contact

avec lui. Quand je .... *(obtenir)* mon diplôme, il me ....

(proposer) la responsabilité du secrétariat du cabinet qui .... *(s'agrandir)*.

5 Un journaliste raconte ce qui s'est passé le soir de Halloween. Conjuguez au passé.

Nouvelles du SUD-OUEST

| Commune | Sortir | Laàs (64) | Contact |

Fêter Halloween d'une manière originale !   1/10/2018

Les habitants du village de Laàs .... *(se retrouver)* hier soir au château

qui, pour l'occasion, ... *(être illuminé)* et .... *(devenir)*

le « château des énigmes » où on .... *(organiser)* une exposition sur le

spiritisme. Les enfants .... *(se précipiter)* tout de suite à l'atelier de

maquillage qui les .... *(accueillir)* à l'entrée du parc. Et c'est là que madame

Dupin, la grand-mère du petit Loïc, ... *(perdre)* connaissance : « Dès

que je .... *(franchir)* la grille du parc, je .... *(voir)* tous ces

fantômes qui .... *(tourner)* autour de moi ! Ils .... *(crier)*,

c' .... *(être)* effrayant ! Alors je crois bien que je ....

(avoir) un malaise », nous .... *(déclarer)* cette gentille octogénaire ce matin.

« Mes amis m' .... *(reconduire)* chez moi, et quand je ....

(rentrer), je .... *(se trouver)* vraiment stupide ! » ajouta-t-elle.

2 L'ordre et la place des doubles pronoms

❯ Pour dire à quelqu'un de faire quelque chose
❯ Pour demander des informations
❯ Pour donner un conseil

❯ Pour dire ce que l'on a fait
❯ Pour donner une instruction
❯ Pour donner une directive

A L'ordre des doubles pronoms

On emploie les doubles pronoms toujours dans le même ordre.

me te se nous vous + le la l' les	– Patrice, je peux prendre ta voiture ? – Oui, je **te la** prête.	le la les + lui leur	Jean a besoin de son ordinateur, il faut que tu **le lui** rendes vite.
m' t' s' l' lui nous vous les leur + en	– Il va déménager, vous le savez ? – Oui, le directeur **nous en** a parlé.	m' t' s' l' nous vous les + y	Le bruit de la circulation, je ne **m'y** habituerai jamais !

(!) Le participe passé s'accorde avec le COD. **Ex. :** *J'ai donné les billets à mes amis. Je **les** leur ai donnés.*

1 Les employés d'un service éditorial parlent de ce qu'ils ont fait. Associez chaque affirmation à son objet.

1. Il me l'a téléchargé. • • **a.** l'ordinateur

2. On le lui a prêté. • • **b.** la facture

3. Vous nous l'avez écrite ? • • **c.** le reportage

4. Il ne me l'a pas encore transféré. • • **d.** la lettre

5. Tu nous les as traduits ? • • **e.** les photos

6. Je vous l'ai mise en pièce jointe. • • **f.** le fichier

7. Vous les leur avez envoyées ? • • **g.** les documents

2 Complétez les réponses avec un double pronom.

Ex. : Il n'a pas notre adresse ? → Si, je la lui ai envoyée.

1. Est-ce que vous avez eu les paquets ? → Oui, elle _____ _____ a déposés.

2. Tu ne connais pas le code de la porte ? → Si, elle _____ _____ a donné.

3. Vous ne savez pas comment venir ?   → Si, vous .... avez expliqué.

4. Est-ce que tu avais leur numéro ?   → Oui, je .... avais demandé.

5. Ils ne viennent pas en voiture ?   → Si, je .... ai conseillé.

6. Tu ne connais pas la route ?   → Si, ils .... ont bien indiquée.

3 **Des amis organisent une fête. Mettez dans l'ordre.**

Ex. : Un discours pour Gustave : lui / un / en / écrivons / super / vraiment / nous
Un discours pour Gustave : nous lui en écrivons un vraiment super !

1. Une carte : vous / une / choisissez / sur Internet / en / leur / belle

....

2. Un cadeau : ils / un / utile / en / leur / cherchent

....

3. Une photo de la salle : elle / en / a montré / une / nous / très récente

....

4. Une place : vous / en / me / une / au centre / réserverez

....

5. Des animations : ils / ont préparé / en / quelques-unes / nous

....

6. Une fête : vous / une / en / inoubliable / leur / organisez

....

4 **Écrivez ces demandes d'information au passé composé avec un double pronom.**

Ex. : proposer une réunion aux délégués   → Tu leur en as proposé une ?

1. parler des conditions aux clients   → On .... ?

2. nous réserver des places   → Vous .... ?

3. commander une voiture à monsieur Brun   → Vous .... ?

4. acheter un cadeau à ta collaboratrice   → Tu .... ?

5. envoyer des fleurs à notre présidente   → Vous .... ?

6. présenter des chiffres au comptable   → Vous .... ?

7. traduire une note aux commerciaux   → Vous .... ?

8. demander des fournitures à Lionel   → On .... ?

5 **Jérémy1 donne des conseils à Babel45 pour son entretien d'embauche. Complétez sa réponse avec des doubles pronoms.**

Babel45 Je vais postuler pour être enseignant dans une école privée et je ne sais pas s'ils me demanderont des références et combien de temps à l'avance je dois leur envoyer ma candidature **(1)**. Est-ce qu'il faut que je leur fasse parvenir mon CV réactualisé **(2)** aujourd'hui, que je leur explique toutes mes expériences **(3)** de façon détaillée et que je leur indique tout de suite mes contraintes horaires **(4)**. Et quid de mes attentes salariales **(5)** ? Merci à qui me répondra vite !

Jeremy1 Futur enseignant, bonjour ! Des références, ils t'en demanderont, impossible autrement. Ta candidature, tu _____ _____ **(1)** envoies rapidement. Pour ce qui est du CV, oui, tu _____ _____ **(2)** fais parvenir le plus vite possible, tes expériences passées, tu _____ _____ **(3)** expliques de façon détaillée et tes contraintes horaires, tu _____ _____ **(4)** indiques tout de suite ou pas, c'est toi qui vois. Mais tes attentes salariales, non, pas maintenant, tu _____ _____ **(5)** parleras lors de ton entretien. Ça te va comme réponse ? Tiens-moi au courant.

6 **Répondez aux directives avec un double pronom.**

Ex. : Traduis-moi cette lettre ! → Je n'ai pas le temps de te la traduire !

1. Achète-moi des timbres ! → Je ne sais pas où _____

2. Donne-moi la réponse ! → J'ai peur de _____

3. Raconte-moi ton aventure ! → Je ne sais pas comment _____

4. Emmène-les à une exposition ! → Bonne idée ! Je _____ demain.

5. Montre-lui les photos ! → Oui, je serai content de _____

6. Explique-leur ton projet ! → Je n'ai pas besoin de _____

B ▌ La place des doubles pronoms avec deux verbes

Cas général **Verbe + infinitif**	Les doubles pronoms se placent généralement **devant l'infinitif**.	Ce livre, tu peux **me le** raconter ? Tu veux bien **m'en** parler ? Cette fête, tu ne peux pas **les y** inviter ?
Cas particuliers *Faire* + infinitif	Les doubles pronoms se placent **devant le verbe *faire***.	Ce livre, si vous voulez, je **vous le** fais traduire.
Laisser, écouter, entendre, regarder, sentir et *voir* + infinitif	Les deux pronoms sont **détachés**.	Ce livre, je **les** ai entendus **en** parler.

⚠ Le participe passé de *faire* et *laisser* suivi d'un infinitif ne s'accorde jamais. **Ex. :** *Je les ai laissé venir à la fête.*

7 **Mettez dans l'ordre.**

Ex. : ne / lui / parler / je / en / ai / pu / avant / pas • Je n'ai pas pu lui en parler avant.

1. le / dire / nous / pas / lui / ne / avant demain / pouvons

....

2. en / on / ne / le / tout de suite / pense / pas / informer

....

3. je / le / vais / ne / pas / annoncer / lui

....

4. demander / il / vous / voulu / a / pas / ne / le

....

5. auriez dû / me / penser / y / faire / vous

....

6. a / leur / de / rappeler / oublié / le / on

....

8 **Les employés d'une entreprise parlent de ce qu'ils ont fait (ou pas). Complétez les réponses avec un double pronom.**

> Verbes de perception + infinitif : accord du participe passé avec le COD quand le COD fait l'action de l'infinitif.
> **Ex. :** *J'ai vu les collègues entrer dans la cafétéria. Je **les** ai vus y entrer.*

Ex. : Tu as entendu tes collègues discuter des difficultés ?
→ Oui, je les ai entendus en discuter.

1. Le directeur t'a fait résumer les débats ?

→ Non, ...

2. Il a vu les clients arriver ?

→ Non, ...

3. Vous avez entendu les responsables parler du prochain salon ?

→ Non, ...

4. Ils ont laissé l'assistante s'occuper des convocations ?

→ Oui, ...

5. La présidente s'est fait expliquer les motifs de la décision ?

→ Oui, ...

6. Vous avez laissé l'expert-comptable présenter les résultats chiffrés ?

→ Oui, ...

7. Elle a fait relire le rapport à son assistant ?

→ Non, ...

C L'ordre et la place des doubles pronoms à l'impératif

L'ordre des pronoms compléments est le même que pour les autres modes et temps sauf avec **moi** et **toi**.

Ex. : *Je veux trouver la solution moi-même, ne* **me la** *dites pas ! Je ne trouve pas la solution : dites-***la-moi** *!*

Forme affirmative	Forme négative
Donne-**le** / **la** / **les-moi**.	Ne **me le** / **la** / **les** donne pas.
Donne-**le** / **la** / **les-toi**.	Ne **te le** / **la** / **les** donne pas.
Donne-**le** / **la** / **les-lui**.	Ne **nous le** / **la** / **les** donne pas.
Donne-**le** / **la** / **les-nous**.	Ne **vous le** / **la** / **les** donnez pas.
Donne-**le** / **la** / **les-leur**.	Ne **le** / **la** / **les lui** donne pas.
Donnez-**le** / **la** / **les-vous**.	Ne **le** / **la** / **les leur** donne pas.
Donne-**m'en**.	Ne **m'en** donne pas.
Donne-**t'en**.	Ne **t'en** donne pas.
Donne-**lui-en**.	Ne **lui en** donne pas.
Donne-**nous-en**.	Ne **nous en** donne pas.
Donne-**leur-en**.	Ne **leur en** donne pas.
Donnez-**vous-en**.	Ne **vous en** donnez pas.

(!) Il est rare d'utiliser un double pronom combinant une personne et *y*.

À la forme affirmative de l'impératif, les pronoms sont liés au verbe par un trait d'union. **Ex.** : *Apporte-le-moi !*

9 **Un responsable de projets donne des instructions à ses collaborateurs. Associez les propositions.**

1. Je voudrais vérifier vos notes. •   • a. Prouve-le-nous !

2. Nous avons besoin des résultats de vos recherches. •   • b. Fais-les-moi parvenir vite !

3. Tu nous dis que tu as relu tout le document. •   • c. Envoyez-les-leur par mél !

4. Ils veulent voir les rapports que vous avez corrigés. •   • d. Montrez-les-nous !

5. Il faut que je regarde les épreuves. •   • e. Montre-les-lui !

6. Le directeur attend tes nouveaux projets. •   • f. Rendons-les-lui !

7. Notre responsable veut récupérer ses dossiers. •   • g. Donnez-les-moi !

10 **Un chef de service donne des instructions à ses assistants. Soulignez la forme correcte.**

Ex. : Je voudrais voir votre compte rendu de la réunion ; <u>montrez-le-moi</u> / *montrez-m'en un* !

1. Le comptable a besoin de ce dossier ; *apportez-le-lui* / *apportez-lui-en* ce matin.

2. J'ai peur d'oublier l'heure du rendez-vous. *Rappelez-la-moi* / *Rappelez-m'en une*, s'il vous plaît.

3. Les délégués veulent une copie de ce document. *Donnez-les-leur* / *Donnez-leur-en une* !

4. Le directeur sera content d'apprendre la nouvelle. *Transmettez-la-moi* / *Transmettez-la-lui*.

5. Son assistante cherche ce document. *Envoyez-lui-en un* / *Envoyez-le-lui* !

6. Après tout ce travail, on mérite un petit café. *Faites-nous-en un* / *Faites-le-nous*, s'il vous plaît !

11 **Jeanne est dans la cuisine. Elle donne des directives à sa fille.**
Réécrivez-les avec un double pronom.

Ex. : Étale-moi la pâte, s'il te plaît ! → Étale-la-moi, s'il te plaît !

1. Prépare un peu de caramel pour Luc ! → ....

2. Garde une part de gâteau pour Carole ! → ....

3. Mets de côté ces chocolats pour tes amis ! → ....

4. Apporte-moi un peu de beurre ! → ....

5. Écris-nous ta recette ! → ....

6. Allume-moi le four ! → ....

12 **Complétez à l'impératif affirmatif puis à l'impératif négatif.**

Ex. : Ne lui raconte pas l'entretien ! Ah, si, raconte-le-lui ! Non, finalement, ne le lui raconte pas !

1. Ne me parle pas de ce problème ! Bon, si, ... !

    Et puis non, ... !

2. Ne me dites pas votre opinion ! Oh, si, ... !

    Finalement non, ... !

3. Ne leur donnez pas d'explications ! Euh pardon, si, ... !

    Non, non, ... !

4. Ne nous communiquez pas votre décision ! Si, ... !

    Au fond, non, ... !

5. Ne lui écrivez pas vos critiques ! Si, ... !

    À bien y penser, non, ... !

6. Ne nous montrez pas de preuves ! Pardon, si, ... !

    Oh, et puis, non, ... !

7. Ne leur exposez pas la situation ! Bon, si .... !

    Enfin, non, ... !

8. Ne m'explique pas tes raisons ! Et puis, si .... !

    Au fond, non, ... !

9. Ne me faites pas part de votre avis ! Bon si, ... !

    Et puis non, ... !

10. Ne leur parle pas de notre retard ! Si, ... !

    Au fond, non, ... !

BILAN

1 🎧 05 **Des habitants de Lyon donnent des précisions sur les préparatifs de Noël. Écoutez les questions et soulignez la réponse correcte.**

1. Oui, on *leur en achète / les leur achète* demain.

2. Oui, ils veulent *lui en écrire une / la lui écrire.*

3. Non, ils *ne lui en postent pas une / ne la lui postent pas* eux-mêmes.

4. Oui, ils *leur en parlent / nous en parlent* très tôt dans l'année.

5. Oui, je peux *les leur montrer / leur en montrer* tout de suite.

6. Oui, nous *l'y emmenons / les y emmenons* chaque année.

2 **Deux voisines discutent des problèmes dans leur immeuble.
Complétez le dialogue avec des doubles pronoms et le verbe conjugué.**

– Bonjour madame Michu ! Que de problèmes dans notre immeuble, en ce moment !

– Ah oui alors, ne .... **(1)** *(parler)* pas ! En tant que responsable, je me dispute sans

arrêt avec monsieur Tromp, notre syndic. Les voisins du 5ᵉ se plaignent du bruit au 6ᵉ étage.

– Oui, je .... **(2)** *(entendre discuter)* avec la gardienne plusieurs fois.

Et le peintre ? Il doit finir les peintures du hall, il faut .... **(3)** *(rappeler)*.

– Et les portes des caves ne ferment pas, je vais téléphoner au serrurier pour .... **(4)** *(dire)*.

– Vous aviez reçu sa première facture, vous ? Il .... **(5)** *(envoyer)* directement, non ?

Et vous savez, hier, mon voisin m'a demandé la date de l'assemblée, je n'ai pas pu .... **(6)**

(donner), on n'a pas encore reçu les convocations.

– C'est vrai, il faut que le syndic .... **(7)** *(poster)* très vite. Je vais envoyer un mél,

je vous tiens au courant. Bonne journée !

3 **Les copropriétaires envoient un mél de protestation au syndic de l'immeuble.
Complétez-le avec des doubles pronoms.**

Nous vous écrivons concernant différents problèmes de notre copropriété. D'ailleurs, nous

.... **(1)** *(déjà signaler)*. D'abord, le peintre : il doit revenir terminer

les peintures du hall, merci de .... **(2)** *(rappeler)*. Et d'ailleurs, nous tenons un double

des clés à sa disposition, vous pourrez .... **(3)** *(faire part)* ? Par ailleurs, nous attendons

les derniers devis pour les travaux : merci de .... **(4)** *(faire parvenir)* avant le 15,

date de l'assemblée. D'autre part, le serrurier devait revenir, vous .... **(5)**

(promettre), mais nous l'attendons toujours. Et puis, l'été approchant et l'homme de ménage s'absentant

deux mois, il faudra un remplaçant : pensez-vous .... **(6)** *(proposer)*

un rapidement ?

BILAN

4 Line échange des textos avec son amie, Samia. Soulignez la forme correcte.

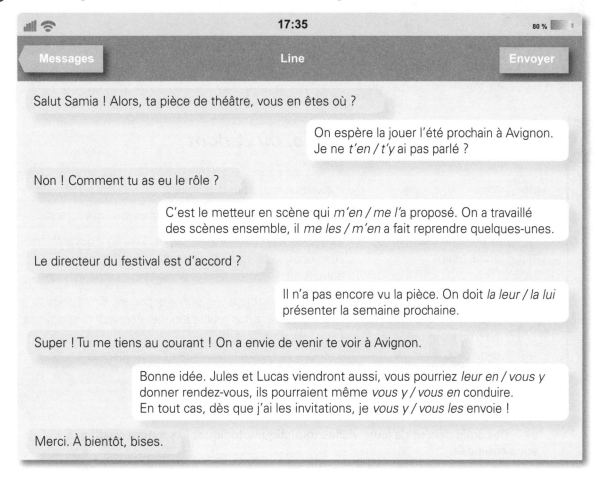

17:35 80 %

Messages | Line | Envoyer

Salut Samia ! Alors, ta pièce de théâtre, vous en êtes où ?

On espère la jouer l'été prochain à Avignon. Je ne *t'en / t'y* ai pas parlé ?

Non ! Comment tu as eu le rôle ?

C'est le metteur en scène qui *m'en / me* l'a proposé. On a travaillé des scènes ensemble, il *me les / m'en* a fait reprendre quelques-unes.

Le directeur du festival est d'accord ?

Il n'a pas encore vu la pièce. On doit *la leur / la lui* présenter la semaine prochaine.

Super ! Tu me tiens au courant ! On a envie de venir te voir à Avignon.

Bonne idée. Jules et Lucas viendront aussi, vous pourriez *leur en / vous y* donner rendez-vous, ils pourraient même *vous y / vous en* conduire. En tout cas, dès que j'ai les invitations, je *vous y / vous les* envoie !

Merci. À bientôt, bises.

5 Voici le flyer de madame Irma. Complétez avec des doubles pronoms.

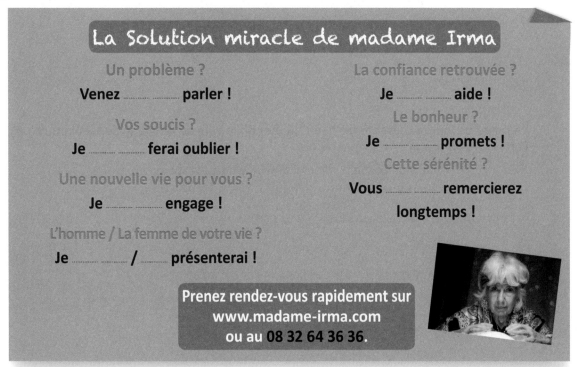

La Solution miracle de madame Irma

Un problème ?
Venez .... **parler !**

Vos soucis ?
Je .... **ferai oublier !**

Une nouvelle vie pour vous ?
Je .... **engage !**

L'homme / La femme de votre vie ?
Je .... **/** .... **présenterai !**

La confiance retrouvée ?
Je .... **aide !**

Le bonheur ?
Je .... **promets !**

Cette sérénité ?
Vous .... **remercierez longtemps !**

Prenez rendez-vous rapidement sur
www.madame-irma.com
ou au **08 32 64 36 36.**

3 Les pronoms relatifs

❯ Pour définir une chose
❯ Pour donner des informations

❯ Pour caractériser une personne, une chose
❯ Pour décrire un lieu

A Les pronoms relatifs *qui, que, où* et *dont*

Qui	sujet	Le gouvernement a pris des mesures **qui** satisfont les citoyens.
Que	complément d'objet direct	Le plan prévoit des mesures **que** l'administration adoptera.
Où	complément de lieu ou de temps	Les questions portent sur les entreprises **où** il y a des problèmes. À une époque **où** tout change, cette décision est courageuse.
Dont	remplace le complément (d'un verbe, d'un adjectif ou d'un nom) précédé de la préposition *de*	La réforme, **dont** tous les journaux parlent, **dont** nous sommes fiers et **dont** tout le monde reconnaît l'importance, était nécessaire. *parler de – être fier de – reconnaître l'importance de*

> ! Le nom ou pronom remplacé par le pronom relatif s'appelle **l'antécédent**.

1 🎧 06 **Des amis parlent de leurs visites touristiques. Indiquez le pronom relatif que vous entendez.**

Ex. : « C'est un pays où les visiteurs se sentent bien. »

	Ex.	1	2	3	4	5	6	7	8	9	10
qui											
que / qu'											
où	✔										

2 **Le maire de Toulon présente les lieux publics de la ville au nouveau conseil municipal. Faites une phrase avec *qui, que* ou *où*.**

Ex. : Le dernier projet de centre commercial : tout le monde l'approuve !

→ C'est un projet que tout le monde approuve.

1. La nouvelle piscine : elle est réservée aux écoliers le matin.

→ ....

2. Le grand stade : il peut accueillir des compétitions internationales.

→ ....

3. La future médiathèque : on y organisera des conférences.

→ ....

4. La nouvelle école : nous l'avons prévue avec un accès pour les élèves handicapés.

→ ....

5. Le nouveau bureau de poste : il sera ouvert en septembre prochain.

→ ....

6. Le nouveau centre culturel : le public le découvrira après les vacances.

→ ....

3 **Une jeune femme raconte ses vacances. Soulignez l'antécédent du pronom *que* puis accordez le participe passé.**

> Avec le pronom *que*, le participe passé s'accorde avec l'antécédent.
> **Ex. :** *Parlez-nous des voyages que vous avez faits !*

Nos vacances dans les Alpes étaient super ! On a passé un séjour agréable dans un très beau gîte !

La chambre que nous avions louée était parfaite. L'hôtesse était très sympathique. Nous avons

beaucoup apprécié les petits plats qu'elle nous a préparé.................... **(1)**. La documentation qu'elle avait

mis.................... **(2)** à notre disposition nous a été très utile. Grâce à elle et aux conseils qu'elle nous a

donné.................... **(3)**, nous avons visité deux expositions que nous avons beaucoup aimé.................... **(4)**.

Et quelles belles montagnes ! La randonnée que nous avons fait.................... **(5)** le premier jour était sportive

parce que l'itinéraire que nous avons suivi.................... **(6)** n'était pas toujours bien indiqué. Regardez, je

vais vous montrer les photos que nous avons pris.................... **(7)**.

4 **Le professeur d'enseignement civique donne des informations sur les acteurs de la vie politique française. Complétez avec *qui, que, où* ou *dont*.**

1. Le président de la République qui dirige le pays est l'homme politique .... les journaux

parlent le plus.

2. Le Premier ministre est la personne .... le président nomme pour diriger le gouvernement

et .... doit être exemplaire.

3. Les hommes et les femmes, ... sont choisis par le Premier ministre pour composer

le gouvernement, sont les ministres. Les dossiers .... ils s'occupent sont très variés.

4. L'Assemblée nationale est le lieu .... siègent les députés. C'est un bâtiment .... date

du 18e siècle.

5. Les personnes .... votent les lois et .... les citoyens attendent beaucoup sont

les députés et les sénateurs.

6. Les maires, ... gèrent les communes, sont les élus .... les citoyens sont les plus proches.

5 **Voici une biographie de Vincent Van Gogh. Réécrivez les phrases avec *dont* pour donner des informations sur le peintre.**

> *Dont* + adjectif possessif est incorrect.
> **Ex. :** *Je connais un homme dont* ~~son~~ ***le*** *frère est peintre.*

Ex. : Van Gogh est un peintre hollandais. Son nom est mondialement connu.
→ Van Gogh est un peintre hollandais dont le nom est mondialement connu.

1. C'est aujourd'hui un peintre célèbre. Son œuvre est unique.

→ ....

2. Il a vécu dans le village d'Auvers-sur-Oise. Ses rues rappellent sa présence.

→ ....

3. Il a connu des peintres. Leur amitié l'a aidé tout au long de sa vie.

→ ....

4. C'est vraiment un artiste étonnant. Sa personnalité était complexe.

→ ....

5. Il était très proche de son frère. Son soutien lui a été précieux.

→ ....

6. Beaucoup de ses œuvres sont au musée d'Orsay à Paris. Son tableau représentant l'église d'Auvers est au musée d'Orsay.

→ ....

6 **Réécrivez les extraits du journal municipal de la ville de Nice avec *dont* pour caractériser les décisions qui ont été prises.**

Ex. : Une allocation supplémentaire sera versée aux familles avec de faibles revenus.
→ Une allocation supplémentaire sera versée aux familles dont les revenus sont faibles.

1. Les rues seront réaménagées pour faciliter le déplacement des personnes avec une mobilité réduite.

→ ....

2. Les immeubles avec une façade trop dégradée doivent être restaurés.

→ ....

3. Les voitures avec une consommation d'essence excessive seront taxées.

→ ....

4. Le maire soutient les associations avec une forte implication auprès des jeunes.

→ ....

5. L'accès au parking gratuit a été interdit aux personnes avec un badge périmé.

→ ....

6. Les commerces avec une activité touristique resteront ouverts jusqu'à minuit.

→ ....

7 **Jean écrit un poème sur les mots du dictionnaire à sa petite amie.**
Complétez avec *qui, que* ou *dont*.

J'ai ouvert mon dictionnaire et j'y ai trouvé des mots qui font rire, des mots …………………… **(1)** je trouve

bizarres, des mots …………………… **(2)** on utilise peu, des mots …………………… **(3)** on se sert souvent, des mots

…………………… **(4)** parlent d'amour, des mots …………………… **(5)** décrivent le temps, des mots …………………… **(6)** il faut se

méfier, des mots …………………… **(7)** la musique est belle, des mots …………………… **(8)** j'adore, des mots …………………… **(9)**

sentent la mer et le soleil, des mots …………………… **(10)** on dit seulement à ceux …………………… **(11)** on aime, des

mots …………………… **(12)** je déteste, des mots …………………… **(13)** je ne connais pas le sens, des mots …………………… **(14)**

tu es amoureuse, des mots …………………… **(15)** tu murmures, des mots …………………… **(16)** tu as peur, des mots

…………………… **(17)** me parlent de toi. J'ai refermé mon dictionnaire et j'ai inventé d'autres mots, pour toi.

B Les pronoms relatifs avec une préposition

Préposition + *qui* remplace une personne	Comment s'appelle la personne **avec qui** tu discutais ?
Préposition + *lequel, laquelle, lesquels, lesquelles* remplace une chose ou une personne	Je te présente l'amie **chez laquelle** j'ai habité pendant six mois. Voici le village **dans lequel** j'ai passé mon enfance.
Préposition + *quoi* quand l'antécédent est neutre : *ce, quelque chose, rien*	Ce **contre quoi** je me bats, c'est l'inégalité.

(!) Les pronoms relatifs se contractent avec la préposition *à (auquel, auxquels, auxquelles)*.
Ex. : *Les associations **auxquelles** nous avons adhéré viennent en aide aux personnes âgées.*
Les pronoms relatifs se contractent avec la préposition *de (duquel, desquels, desquelles)*.
Cette forme s'utilise avec des prépositions composées : *à côté de, auprès de, au milieu de, loin de…*
Ex. : *Les personnes **auprès desquelles** on travaille demandent des soins.*

8 **Un article de *Press'Ado* explique le vote en France aux futurs électeurs.**
Soulignez la forme correcte dans les définitions.

Ex. : Les listes électorales sont des listes sur *lesquelles / lesquels* les électeurs doivent être
inscrits pour pouvoir voter.

1. La carte d'électeur est un document sur *qui / lequel* on indique le nom, l'adresse, la date
de naissance du titulaire.

2. Les personnes pour *qui / lesquels* on peut voter sont les candidats.

3. Les boîtes dans *lesquelles / laquelle* on met les bulletins de vote s'appellent des urnes.

4. Quand vous votez, on vous donne une petite enveloppe dans *laquelle / lesquelles* vous devez
mettre votre bulletin.

5. L'élu est celui qui a obtenu plus de voix que ceux contre *qui / lesquelles* il s'est présenté.

9 **Léo fait visiter sa chambre à un ami. Associez pour décrire le lieu.**

Voici ma chambre, il y a :

1. un vieux fauteuil •	• **a.** avec lesquels je fais de la musculation.
2. des objets sans valeur •	• **b.** dans lequel je dors et, souvent, je travaille.
3. des appareils •	• **c.** dans lequel j'aime bien m'asseoir pour rêver.
4. une chaîne vintage •	• **d.** avec laquelle j'écoute mes disques préférés.
5. un ordinateur •	• **e.** à laquelle je m'installe pour travailler.
6. une bibliothèque •	• **f.** mais auxquels je suis très attaché.
7. une table •	• **g.** dans laquelle je mets mes livres et des photos.
8. le lit •	• **h.** avec lequel je travaille beaucoup.

10 **Aline montre des photos à un ami d'enfance. Complétez la description de son village natal.**

Ici, c'est le lac au milieu duquel *(au milieu de)* se trouve la petite île où on allait camper. Regarde ce pont, c'est celui .... **(1)** *(en face de)* il y a l'école de notre enfance. Tiens, une photo de la vieille église .... **(2)** *(à côté de)* habitent mes grands-parents. Et ça, c'est le vieux moulin .... **(3)** *(en haut de)* je montais souvent pour regarder la campagne. Oh, j'avais oublié celle-là : les vignes .... **(4)** *(au milieu de)* on jouait à se perdre ! Regarde, la grotte .... **(5)** *(au fond de)* on se cachait, tu te souviens ? Là, tu vois, c'est la rivière .... **(6)** *(au bord de)* je construirai ma maison. Toutes ces photos représentent des lieux .... **(7)** *(loin de)* je ne peux pas vivre longtemps !

11 **Pierre a déménagé. Il raconte son expérience. Complétez avec des pronoms relatifs composés.**

Il y a beaucoup de choses auxquelles il faut faire attention *(beaucoup de choses / il faut y faire attention)*. Tout d'abord, il y a .... **(1)** *(le quartier / je dois m'y habituer)*. Sans oublier .... **(2)** *(les administrations / il faut leur écrire)*. Et .... **(3)** *(tous les problèmes / je n'y ai pas encore trouvé de solution)*. Et puis .... **(4)** *(les lettres / je n'ai pas eu le temps d'y répondre)*. Autre chose, il y a .... **(5)** *(mon nouvel ordinateur / je n'y comprends rien)*. Et c'est sans compter avec .... **(6)** *(l'école / je vais y inscrire mes enfants)*. Et enfin, ... **(7)** *(tous les autres points / je n'y ai pas encore pensé)*.

12 **Un journaliste évoque dans sa chronique la rupture amoureuse de deux anonymes, Annah et Quentin. Complétez avec *dont* ou *duquel*.**

Attention à ne pas confondre *duquel* (après une préposition) et *dont*.
Ex. : *Quentin est le premier homme* **dont** *Annah est amoureuse et* **auprès duquel** *elle pense vivre toute sa vie.*

Ex. : Ils vont se séparer, ce dont tout le monde est surpris.

1. Le sujet à propos .... ils se sont disputés n'était pas grave.

2. C'était un couple .... tout le monde appréciait la compagnie.

3. Annah reproche à Quentin des torts .... il se défend vivement.

4. Elle quitte cet endroit loin .... elle attend un nouveau bonheur.

5. Personne n'a remarqué le moment à partir .... ça a commencé à aller mal.

6. Ils ont refusé de rencontrer un psychologue auprès .... ils auraient pu prendre conseil.

7. Annah et Quentin ne connaîtront pas la vie paisible .... on rêve tous.

13 **Mme Rolland informe Mme Michel des transformations de leur village natal. Réécrivez les phrases avec *dont, duquel* ou *de laquelle* pour décrire le lieu.**

Ex. : Le groupe scolaire a été transformé. Il y a eu de nombreuses discussions à ce propos.
→ Le groupe scolaire, à propos duquel il y a eu de nombreuses discussions, a été transformé.

1. La place de la Mairie a été agrandie. Le maire en est très fier.

→ ....

2. On va protéger la statue de Victor Hugo. On jouait autour quand on était enfants.

→ ....

3. On a ouvert un centre multimédia. Il y a le nouvel office de tourisme à côté.

→ ....

14 **Des internautes s'expriment sur le forum « Quelles sont vos valeurs ? ». Complétez avec les expressions de la liste.**

auquel • ~~pour lequel~~ • contre quoi • à laquelle • de quoi • à quoi • grâce auxquels

Ex. : Combattre la faim dans le monde, c'est un objectif pour lequel je suis prête à m'engager.

1. Il n'y a rien .... j'aspire davantage qu'à l'équité.

2. Ce .... je m'insurge, c'est l'injustice.

3. La jalousie est un sentiment .... il faut savoir résister.

4. J'apprécie particulièrement ces petits gestes quotidiens .... tout le monde se sent estimé.

5. La qualité .... j'accorde le plus d'importance, c'est l'honnêteté.

6. L'égalité homme-femme progresse ; je pense qu'il y a .... se réjouir.

BILAN

1 Un guide gastronomique fait une critique très positive du restaurant *La Table du Périgord*. Complétez avec *qui, que, où* ou *dont*.

M. et Mme Laporte dirigent ce restaurant .... **(1)** des artistes célèbres ont fréquenté et

.... **(2)** ils ont laissé les traces de leur passage. La clientèle se presse dans cet établissement

.... **(3)** l'histoire se confond avec celle du quartier, un établissement .... **(4)**

la liste des réservations s'allonge sans cesse. Le chef propose une cuisine .... **(5)** les plats

du Périgord se marient avec ceux .... **(6)** l'on rencontre dans la gastronomie auvergnate.

Sur la carte, à côté du foie gras et du confit de canard, j'ai trouvé un cassoulet .... **(7)**

je me souviendrai longtemps. Il faut aussi mentionner la patronne .... **(8)** vous reçoit d'une

façon charmante et .... **(9)** la gentillesse est remarquable. Un restaurant .... **(10)**

vous devez absolument recommander autour de vous !

2 Le film *Nous ici* vient de sortir. Complétez la critique avec des pronoms relatifs.

C'est un film exceptionnel sur notre environnement, un film .... **(1)** va vous bouleverser,

.... **(2)** s'adresse aux grands mais aussi aux plus jeunes, ... **(3)** recommandent

tous les pédagogues. Un long-métrage grâce .... **(4)** vous aurez l'impression de devenir plus

intelligent, ... **(5)** vous aurez bien sûr envie de revoir plusieurs fois et .... **(6)**

les personnages sont d'un réalisme à vous couper le souffle : de véritables individus en .... **(7)**

vous vous reconnaîtrez !

3 La sociologue Béatrice Valleau est interviewée. Complétez avec des pronoms relatifs.

– Béatrice Valleau, vous êtes venue nous parler d'une enquête .... **(1)** vous venez de réaliser

sur les jeunes. Alors, dites-nous quels sont les souhaits de la nouvelle génération ?

– Eh bien, ce à .... **(2)** ils aspirent vraiment, c'est avant tout obtenir un travail .... **(3)**

leur plaise et dans .... **(4)** ils s'épanouissent. Par ailleurs, l'humanitaire et l'écologie sont les

deux domaines .... **(5)** ils veulent vraiment s'investir. Sinon, au quotidien, ce .... **(6)**

ils souhaitent presque tous faire, c'est voyager le plus possible.

– Et on les dit souvent angoissés : partagez-vous ce constat ?

– Bizarrement, ce .... **(7)** les inquiète le plus, c'est, comme leurs parents, l'insécurité, alors qu'il

y a dix ans, ce .... **(8)** ils avaient le plus peur, c'était le chômage.

– Et quelle est la valeur à .... **(9)** ils accordent le plus d'importance ?

– Ce à .... **(10)** ils tiennent le plus, c'est la famille, contrairement à ce .... **(11)** l'on croit

toujours d'eux. Et ce en .... **(12)** ils continuent de croire, c'est l'amour...

BILAN

4 Caroline écrit un mél à sa famille pour parler de son nouveau cours d'anglais. Complétez avec des pronoms relatifs.

De : carolineaymard@gmail.com

A : familleaymard@yahoo.fr

Objet : Mon super cours d'anglais !

Chers tous,

Finalement, je me suis inscrite au cours d'anglais .... Dominique m'avait parlé.

Je suis avec des gens .... l'expérience professionnelle est assez différente de la mienne mais avec .... je m'entends très bien. Notre professeur est un Américain .... l'accent ne m'est pas familier mais .... j'espère m'habituer vite. Le jour .... j'ai commencé, j'ai compris qu'il y avait beaucoup de choses .... je ne connaissais pas. Le prof nous a fait regarder une vidéo .... la qualité n'était pas très bonne et .... nous a posé beaucoup de problèmes. Après, il nous a distribué des documents .... nous avons dû lire rapidement et au sujet .... nous avons discuté en petits groupes. C'est un exercice .... je trouve stimulant parce qu'il nous met dans une situation identique à celle .... nous attend dans le monde du travail.

J'espère que je serai prête au moment .... je passerai l'examen.

Je vous embrasse.
Caroline

5 Adèle laisse un avis sur le site d'une chaîne de télévision. Complétez avec des pronoms relatifs.

| **TV Savoir** | Programme | En direct | En replay | Nos coups de ♥ | À vous ! |

Votre avis nous intéresse...

Adèle L. Voilà une chaîne .... présente toutes sortes de sujets et .... a créée un collectif de scientifiques ! Par exemple, hier, après les infos internationales .... je ne peux pas me passer, il y avait une émission sur un site en Grèce .... fouillent des archéologues et .... ils font encore des découvertes étonnantes. Et ensuite, j'ai regardé un documentaire sur la physique quantique (un domaine .... je ne connaissais vraiment rien) et ça m'a beaucoup éclairée ! C'est une chaîne .... il faut vraiment apporter son soutien et .... mérite tous nos encouragements !

4 Le conditionnel présent et le conditionnel passé

❯ Pour donner un conseil

❯ Pour formuler un souhait

❯ Pour formuler un reproche, des regrets

❯ Pour dire qu'une information n'est pas certaine

❯ Pour formuler une demande polie

❯ Pour exprimer une conséquence non accomplie

A La formation du conditionnel présent et du conditionnel passé

Conditionnel présent	**radical du futur** + **terminaisons** de l'imparfait	**Aur**iez-vous le temps de me recevoir ? Je crois qu'il **serait** disponible demain matin.
Conditionnel passé	**avoir ou être au conditionnel présent** + **participe passé**	J'aurais **couru**. Il ne **serait** pas **tombé**. Vous **seriez**-vous **blessé** ?

> ⚠️ Au conditionnel passé, le choix de l'auxiliaire et l'accord du participe passé suivent les mêmes règles que pour les temps composés, voir chapitre 1. *Les temps du passé.*
> **Ex. :** *Elle serait arrivée hier. Cette femme, je l'aurais reconnue, c'est probable.*

1 **Retrouvez les verbes au conditionnel présent dans la liste et complétez le tableau. Écrivez les pronoms sujets correspondants.**

~~atteindrait~~ • aurais • conviendriez • distrairaient • induirons • prévoirions • réfléchirai • résoudrais • restreignions • suffisiez • vaudrait • prendront

Conditionnel présent	Infinitif
Ex. : il / elle / on atteindrait	atteindre
1.	....
2.	....
3.	....
4.	....
5.	....
6.	....

2 **Soulignez les verbes au conditionnel passé dans les phrases.**

Ex. : Il <u>aurait dit</u> non. – Il avait dit non.

1. Ils ne s'étaient pas trompés. – Ils ne se seraient pas trompés.

2. Vous auriez menti. – Vous aviez menti.

3. Nous nous étions disputés. – Nous nous serions disputés.

4. Tu t'étais tu finalement. – Tu te serais tu finalement.

5. J'aurais protesté. – J'aurai protesté.

6. Elle n'aurait rien compris. – Elle n'avait rien compris.

7. On ne sera pas arrivé à un compromis. – On ne serait pas arrivé à un compromis.

3 **Conjuguez les verbes au conditionnel passé.**

Ex. : ne pas s'instruire → ils ne se seraient pas instruits

1. rire → nous ....

2. ne pas poursuivre → vous ....

3. s'interrompre → tu ....

4. suffire → ça ....

5. peindre → elles ....

6. se plaindre → nous ....

7. ne pas se reconnaître → ils ....

8. confondre → vous ....

9. vivre → on ....

B Les valeurs du conditionnel

Les valeurs du conditionnel présent

Pour faire une suggestion	Ça te **plairait** / **dirait** qu'on invite Enzo et Léa ?
Pour donner un conseil	Vous **devriez** / **pourriez** prendre le temps de parler. Il **vaudrait mieux** que vous vous expliquiez. À votre place, je **m'expliquerais** avec lui. Si j'étais toi, je **serais** moins agressif.
Pour formuler un souhait	Je **sortirais bien** faire un tour dans le quartier.

(!) Pour les valeurs de conseil, le conditionnel est généralement utilisé avec une condition, voir chapitre 11. *L'hypothèse et la condition.*

4 (07) **Suggestion, conseil, souhait ? Écoutez et indiquez la valeur du conditionnel présent.**

Ex. : « Tu serais d'accord pour aller au cinéma ce soir ? »

	Ex.	1	2	3	4	5	6	7	8
Suggestion	✔								
Conseil									
Souhait									

5 **Une coach donne des conseils santé à ses élèves. Réécrivez ces conseils au conditionnel présent.**

> Dans l'hypothèse, on peut juxtaposer à l'oral deux verbes au conditionnel.
> **Ex. :** *Tu te **coucherais** plus tôt, tu **serais** moins fatigué.*

Ex. : Faites du sport, vous resterez en pleine forme.
→ Vous feriez du sport, vous resteriez en pleine forme.

1. Buvez moins de boissons sucrées, vous serez en meilleure santé.

→ ....

2. Privilégie la marche à pied, tu te sentiras mieux.

→ ....

3. Évitez les boissons excitantes, vous retrouverez votre calme.

→ ....

4. Mangez des légumes et des fruits, vous absorberez des vitamines.

→ ....

5. Inscris-toi au cours de danse, tu feras travailler ton corps.

→ ....

6. Séparez-vous de vos écrans, vous aurez plus de temps libre.

→ ....

Les valeurs du conditionnel passé

Pour formuler un reproche	Vous **auriez pu / dû** nous informer. À sa place, je leur **aurais parlé**. Si j'avais été eux, je **n'aurais rien dit**. Il **aurait mieux valu** que vous disiez la vérité.
Pour formuler un regret	J'**aurais dû / pu** faire autrement. Si j'avais su / pu, je **serais venu**.
Pour exprimer une conséquence non accomplie	Sans aide, elle **n'aurait jamais acheté** sa maison.

(!) Pour ces valeurs, le conditionnel est généralement utilisé avec une condition, voir chapitre 11. *L'hypothèse et la condition.*

6 **Claire n'a pas un caractère facile. Complétez ses échanges avec ses amis au conditionnel passé pour exprimer des reproches.**

1. Claire : Je t'ai attendu presque une heure, hier ! Qu'est-ce que tu as fait ?

Majid : Excuse-moi, j'aurais dû *(devoir)* te prévenir.

Claire : Oui, tu .... *(pouvoir)* téléphoner quand même !

Majid : Je suis impardonnable ! C'est vrai, à ta place, moi, je .... *(ne pas attendre)*

si longtemps.

2. Claire : Pauvre Juliette, si j'avais su, je .... *(ne pas lui parler)* si durement !

Luce : Oui, tu as été un peu brutale ! À ta place, je .... *(ne pas se mettre)*

en colère, elle est encore jeune, elle ne peut pas comprendre !

3. Max : Tu sais, Ekhi .... *(devoir)* s'y prendre plus tôt s'il voulait avoir une

place pour le concert !

Claire : Oui, et si j'avais été lui, je .... *(prendre)* mes réservations un mois

à l'avance et je .... *(ne pas chercher)* à avoir les places les moins chères.

7 **Des personnes discutent de leurs expériences professionnelles.**
Écrivez des phrases au conditionnel passé pour formuler leurs regrets.

Si c'était à refaire...

Ex. : Reprendre l'entreprise familiale → Oscar aurait repris l'entreprise familiale.

1. Agrandir les installations → Jules et moi, nous ....

2. Diversifier les activités → On ....

3. Rechercher des débouchés à l'étranger → Mattéo ....

4. Moderniser les équipements → Nous ....

5. Embaucher un chargé de communication → Je ....

6. Aider financièrement → Mon frère nous ....

8 **De jeunes travailleurs discutent de leurs entretiens d'embauche ratés.**
Écrivez des phrases pour formuler un reproche ou un regret.

Ex. : Il n'a pas demandé un salaire plus élevé. *(devoir)* → Il aurait dû demander un salaire plus élevé.

1. Je n'ai pas présenté toutes mes compétences. *(aimer)*

→ ....

2. Elle ne s'est pas montrée convaincante ! *(souhaiter)*

→ ....

3. Je n'ai pas été précis dans l'exposé de mon expérience. *(vouloir)*

→ ....

4. Je ne me suis pas exprimé très clairement. *(préférer)*

→ ....

5. Elle n'a pas bien préparé son entretien. *(devoir)*

→ ....

6. Il n'a pas insisté sur son expérience auprès d'enfants. *(pouvoir)*

→ ....

9 **Un entraîneur fait le point avec son équipe après une course difficile. Réécrivez les phrases au conditionnel passé pour exprimer une conséquence non accomplie.**

Ex. : Il n'a pas eu de volonté, il n'a pas terminé la course.

→ Avec de la volonté, il aurait terminé la course.

1. Je n'ai pas couru très vite, je suis arrivé dans les derniers.

→ En courant plus vite, ...

2. Elle s'est très peu entraînée, elle a eu un mauvais score.

→ Avec plus d'entraînement, ...

3. Ils sont partis très tard, ils n'ont eu aucune chance.

→ En partant plus tôt, ...

4. Je me suis arrêté trop longtemps, je n'ai pas pu gagner.

→ En m'arrêtant moins longtemps, ...

5. Tu as mal géré ton temps, tu as été dépassé par les autres.

→ En gérant mieux ton temps, ...

6. Vous avez accéléré trop rapidement, vous vous êtes blessés.

→ En accélérant moins rapidement, ...

7. Elle a pris un mauvais départ, elle n'a pas été qualifiée.

→ En prenant un bon départ, ...

Les valeurs communes du conditionnel présent et du conditionnel passé

Pour exprimer l'imaginaire	On **serait nés** sur une autre planète et on **ferait** un voyage sur la Terre.
Pour formuler une demande polie, une éventualité	Tu **pourrais** parler moins fort ? Vous **n'auriez pas vu** mes clés de voiture ?
Pour donner une information incertaine	Céline et Sébastien **seraient** à Rome où ils **se seraient mariés**. Tu es au courant ?

10 **Voici des messages du courrier du cœur. Complétez avec les verbes de la liste au conditionnel présent.**

falloir • ne pas devoir • être • ~~pouvoir~~

Pourriez-vous me conseiller ? Mes enfants ne parlent plus à leur père : est-ce qu'il .... **(1)**

intervenir ? Est-ce que je .... **(2)** les réunir ? Ou est-ce que ce .... **(3)**

plutôt le rôle de mon mari de faire les premiers pas ? Qu'en pensez-vous ?

risquer • ne plus s'occuper • aimer • dire

Je .... **(4)** des conseils. Nous sommes jeunes mariés, et mon mari m'interdit

de travailler. Mais qu'imagine-t-il ? Que je .... **(5)** d'avoir un accident ? Que je

.... **(6)** du suivi du chantier de notre nouvelle maison ? Ou bien que des collègues

me .... **(7)** du mal de lui ? J'avoue que je ne comprends pas !

11 **Louise raconte une histoire imaginaire à son frère. Complétez son récit avec les phrases proposées.**

Ex. : On est dans une grande forêt sombre.

1. Il y fait très froid.
2. Nous sommes partis faire une balade.
3. Nous n'avons prévenu personne.
4. Je découvre une grotte.
5. Il y a un petit renard roux.
6. Il nous indique une galerie souterraine.
7. Je te prends par la main.
8. Nous commençons à descendre.

Bon alors, ferme les yeux. Voilà. On serait dans une grande forêt sombre. Il ....

.... **(1)**. Nous .... **(2)**. Nous ....

.... **(3)**. À un moment, je .... **(4)** et à l'entrée,

il y .... **(5)**. Il .... **(6)**,

très dangereuse. Je .... **(7)** et nous ....

.... **(8)**.

12 **Un journaliste a transcrit des questions entendues dans des lieux publics. Réécrivez-les au conditionnel présent pour formuler une demande polie.**

Ex. : Je peux vous poser une question ?
→ Je pourrais vous poser une question ?

1. Connaissez-vous le Café de la gare ?

→ .... le Café de la gare ?

2. Savez-vous où se trouve l'entrée du métro ?

→ .... où se trouve l'entrée du métro ?

3. Vous ne vous êtes pas trompé de valise ?

→ .... de valise ?

4. Est-il possible de stationner ici ?

→ .... possible de stationner ici ?

5. Nous ne nous sommes pas déjà rencontrés ?

→ ....

6. Excusez-moi, vous n'avez pas laissé tomber ce ticket ?

→ Excusez-moi, ... ce ticket ?

13 (08) **Pierre raconte un événement à son ami. Écoutez et indiquez si les informations sont certaines ou incertaines.**

Ex. : « Une avalanche a détruit plusieurs chalets. »

	Ex.	1	2	3	4	5	6	7	8	9	10
C'est certain.	✔										
C'est incertain.											

14 **Un journaliste annonce la disparition mystérieuse de l'actrice Laure Réal. Conjuguez les verbes au conditionnel présent ou passé pour rendre ces informations incertaines.**

Nous venons d'apprendre la disparition de Laure Réal. Elle aurait quitté *(quitter)* précipitamment son domicile le week-end dernier. Elle _____ **(1)** *(se rendre)* directement à l'aéroport de Roissy où elle _____ **(2)** *(prendre)* un avion pour Montréal. Elle _____ **(3)** *(voyager)* sous une fausse identité. Pourquoi cette fuite ? D'après l'entourage de la jeune femme, celle-ci _____ **(4)** *(vivre)* actuellement une période difficile. Elle _____ **(5)** *(apprendre)* dernièrement le retour à Paris de sa rivale, Anne Oret, et _____ **(6)** *(ne pas supporter)* cette menace pour sa carrière. Laure _____ **(7)** *(être)* donc maintenant avec son ami, René Gat.

15 **Florian et Julie discutent de leurs prochaines vacances. Complétez avec le conditionnel présent ou le conditionnel passé.**

Florian : Dis-moi, Julie, tu pourrais *(pouvoir)* regarder avec moi ? Je suis sur Internet, je cherche pour nos vacances en janvier. On part au ski ?

Julie : Tu plaisantes ! Tu as écouté la radio ? Une avalanche _____ **(1)** *(ensevelir)* un village la nuit dernière, on _____ **(2)** *(compter)* des dizaines de victimes. Et toi, tu veux aller à la montagne, tu es fou !

Florian : Une croisière, alors ?

Julie : Mais tu as de ces idées ! Tu n'as vraiment pas écouté les nouvelles ? Un paquebot _____ _____ **(3)** *(faire)* naufrage ce matin près de la Crète, des recherches _____ **(4)** *(être)* en cours pour retrouver les victimes dont le nombre _____ **(5)** *(atteindre)* plus de deux mille. Et toi, tu veux m'emmener sur un bateau !

Florian : Ce que tu es peureuse ! Tu proposes quoi ?

Julie : Et si, pour une fois, on restait tranquillement chez nous. On _____ **(6)** *(se lever)* tard, on _____ **(7)** *(prendre)* du temps pour nous, on _____ **(8)** *(aller)* se promener. Qu'est-ce que tu en penses ?

BILAN

1 **Un groupe de touristes visite Paris. Associez les phrases aux valeurs du conditionnel.**

1. Cela vous plairait de voir une exposition ? •
2. J'aurais voulu m'acheter un beau souvenir. •
3. Je serais le vendeur, et vous, les clients ! •
4. Le distributeur de billets aurait été vandalisé. •
5. Nous prendrions bien un abonnement. •
6. Sans espèces, on n'aurait pas pu payer. •
7. Vous auriez de la monnaie, s'il vous plaît ? •
8. Tu aurais pu laisser un plus gros pourboire ! •
9. Vous devriez payer avec votre carte bancaire. •

• **a.** conseil
• **b.** conséquence non accomplie
• **c.** demande polie
• **d.** souhait
• **e.** imaginaire
• **f.** information incertaine
• **g.** regret
• **h.** reproche
• **i.** suggestion

2 **Un voyageur achète un billet d'avion à l'aéroport. Soulignez les formes correctes.**

– Bonjour, monsieur, *j'aurais voulu / j'avais voulu* **(1)** un aller-retour Nice-Paris, s'il vous plaît.

– Oui, *ce serait / c'était* **(2)** pour quelle date ?

– J'*aimais / aurais aimé* **(3)** partir demain : c'est possible ?

– Ah non, monsieur, il *faudrait / aurait fallu* **(4)** vous y prendre beaucoup plus tôt, pour un départ demain, vous *devriez / auriez dû* **(5)** réserver il y a au moins quinze jours.

– Vous ne *pouviez / pourriez* **(6)** vraiment pas me trouver une place ?

– J'*avais bien aimé / aimerais bien* **(7)**, vous savez, mais c'est complet. Oh, attendez, j'ai une idée, il y *aurait eu / aurait* **(8)** peut-être une solution, il *se pouvait / se pourrait* **(9)** qu'il y ait de la place sur un autre vol. Oui, c'est ça ! Écoutez, je *pourrais / aurais pu* **(10)** vous proposer une place, mais il *fallait / faudrait* **(11)** que vous passiez par Lyon : ça vous *aurait convenu / conviendrait* **(12)** ?

– J'*aurais préféré / avais préféré* **(13)** un vol direct mais bon, d'accord.

3 **Un chroniqueur radio parle de santé publique. Réécrivez au conditionnel présent ou passé.**

1. Il paraît que ce n'est qu'une épidémie sans gravité. *(être)*

→ Ce ne _____ qu'une épidémie sans gravité.

2. Les pouvoirs publics ne nous ont pas informés. *(pouvoir)*

→ Les pouvoirs publics _____

3. Le ministre de la Santé n'a pas donné d'explications. *(devoir)*

→ Le ministre de la Santé _____

4. Des mesures doivent être prises. *(devoir)*

→ Des mesures _____

BILAN

4 Magda demande à sa professeure ce qu'elle pense de son exposé. Conjuguez les verbes au conditionnel présent ou passé.

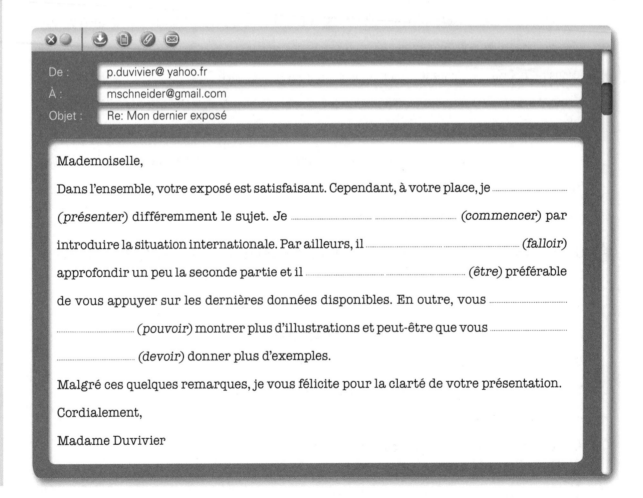

De : mschneider@gmail.com
À : p.duvivier@ yahoo.fr
Objet : Mon dernier exposé

Madame,

Suite à mon exposé, ... (*pouvoir*)-vous me faire part de vos commentaires ?

Je .... (*aimer*) pouvoir m'améliorer.

Avec mes remerciements anticipés.

Cordialement.

Magda Schneider

De : p.duvivier@ yahoo.fr
À : mschneider@gmail.com
Objet : Re: Mon dernier exposé

Mademoiselle,

Dans l'ensemble, votre exposé est satisfaisant. Cependant, à votre place, je ....

(*présenter*) différemment le sujet. Je .... (*commencer*) par

introduire la situation internationale. Par ailleurs, il .... (*falloir*)

approfondir un peu la seconde partie et il .... (*être*) préférable

de vous appuyer sur les dernières données disponibles. En outre, vous ....

.... (*pouvoir*) montrer plus d'illustrations et peut-être que vous ....

.... (*devoir*) donner plus d'exemples.

Malgré ces quelques remarques, je vous félicite pour la clarté de votre présentation.

Cordialement,

Madame Duvivier

Le subjonctif présent et le subjonctif passé **5**

❯ Pour exprimer une émotion, un sentiment
❯ Pour exprimer une nécessité, une possibilité
❯ Pour exprimer une volonté

❯ Pour exprimer une opinion, un jugement
❯ Pour exprimer une conviction, un but
❯ Pour exprimer un doute, une incertitude

A La formation du subjonctif présent et du subjonctif passé

Subjonctif présent	– pour *je, tu, il/elle/on* et *ils/elles* : **radical de *ils* au présent de l'indicatif** + **-e, -es, -e, -ent**	On est ravis que tu **t'investisses** dans ce projet.
	– pour *nous* et *vous* : **imparfait de l'indicatif** de *nous* et *vous*	Ils ne veulent pas que vous **perdiez** votre temps.
Verbes irréguliers : *avoir, être, aller, faire, pouvoir, savoir, vouloir*		Il faut que nous **fassions** très vite une proposition.
Subjonctif passé	**avoir ou être au subjonctif présent + participe passé**	Je suis heureux qu'ils **aient obtenu** le contrat. Il est regrettable qu'ils ne **se soient** pas **aperçus** de cette erreur.

⚠ Au subjonctif passé, le choix de l'auxiliaire et l'accord du participe passé suivent les mêmes règles que pour les temps composés, voir chapitre 1. *Les temps du passé.*
Ex. : *Je suis surpris qu'**ils** soient déjà revenus. Cette femme, je ne crois pas que vous **l'**ayez rencontrée.*

1 🎧 09 **Une responsable donne des instructions à son équipe. Écoutez et indiquez si elle exprime une volonté au subjonctif présent ou au subjonctif passé.**

Ex. : « Il faut qu'on soit partis avant 8 heures. »

	Ex.	1	2	3	4	5	6	7	8	9	10
Subjonctif présent											
Subjonctif passé	✔										

2 Écrivez les formes au subjonctif passé.

Ex. : que je dorme → que j'aie dormi

1. que nous nous détendions → ....

2. que tu ne te reposes pas → ....

3. qu'elles fassent la grasse matinée → ....

4. que vous arriviez à l'heure → ....

5. que je ne me fatigue pas → ....

6. que tu te couches tôt   → ....

7. qu'on ne vous réveille pas   → ....

8. que nous entendions le réveil   → ....

9. que vous preniez votre temps   → ....

3 **Lors de l'examen du DELF, l'examinateur réagit au comportement de certains candidats. Réécrivez les phrases au subjonctif présent ou passé.**

Ex. : Des candidats sont arrivés en retard.

→ L'examinateur est surpris que des candidats soient arrivés en retard.

1. Nous avons demandé de reporter le rendez-vous.

→ L'examinateur est étonné ....

2. Vous avez mal présenté votre dossier.

→ L'examinateur est déçu ....

3. Ce jeune homme ne sait pas répondre.

→ L'examinateur est surpris ....

4. Nous faisons des erreurs.

→ L'examinateur est déçu ....

5. Vous savez parler quatre langues étrangères.

→ L'examinateur est surpris ....

6. Je ne me suis pas bien préparé.

→ L'examinateur est mécontent ....

B L'emploi du subjonctif

On emploie le subjonctif dans une subordonnée qui commence par *que* **après une expression qui indique :**

une émotion, un sentiment	**Ça m'inquiétait** qu'il n'ait pas encore de réponse.
un jugement	**Il est logique** que je sois un peu nerveux.
une nécessité	**Il faudra** que nous soyons réactifs.
une volonté	**Il voulait** que tu prennes vite ta décision.
une possibilité	**Il se peut** qu'ils aient échoué. **Il semble** qu'ils aient mal compris les consignes.

(!) On utilise le subjonctif passé quand l'action du verbe au subjonctif est antérieure à celle du verbe introducteur.
Ex. : *Il a fallu* (1) *que je prenne une décision* (2) = actions 1 et 2 simultanées : subjonctif présent.
Je suis fier (2) *qu'il ait pris la bonne décision* (1) = action 2 antérieure à l'action 1 : subjonctif passé.
Le subjonctif est aussi utilisé après certaines conjonctions : voir les chapitres 10, 11, 12 et 13.

4 **Marc envoie un message à un étudiant qui suit le même cours que lui. Notez les quatre verbes au subjonctif présent avec leur numéro et l'expression qui les introduit.**

Bonjour,

Je ne sais pas si vous vous souvenez, on était ensemble il y a un an ! Ah, c'est chouette que vous participiez **(1)** à nouveau à ce cours ! Je me souviens que vous y participiez **(2)** déjà au premier semestre l'année dernière ; avec vous, les débats étaient animés, c'est vrai que vous preniez **(3)** souvent la parole ! Moi j'aimais bien que vous preniez **(4)** toujours des positions très claires ; j'appréciais que vous ne parliez **(5)** pas longtemps, que vous disiez **(6)** seulement quelques phrases, mais je trouvais que vous disiez **(7)** les choses franchement, que vous parliez **(8)** de façon simple et directe ! Je suis content que vous reveniez **(9)** avec nous !

Verbes au subjonctif	Numéro	Expression qui introduit le subjonctif
participiez	1	C'est chouette que

5 **Les habitants d'un quartier parlent de leurs voisins. Réécrivez les phrases avec un verbe au subjonctif présent ou passé pour exprimer des sentiments.**

Ex. : Il n'est pas venu à la fête des voisins.

→ Vous êtes triste qu'il ne soit pas venu à la fête des voisins.

1. Vous avez reporté votre installation dans le quartier.

→ Nous regrettons ....

2. Tu viens avec eux.

→ Ils sont contents ....

3. Elles annulent la soirée.

→ On est désolé ....

4. Je me suis installé avec elle.

→ Elle est enchantée ....

5. Vous allez déménager près de chez moi.

→ Je suis heureuse ....

6. On ne s'entend pas très bien.

→ C'est dommage ....

7. Elle a pu nous inviter tous chez elle.

→ C'est génial ....

6 **Des touristes parlent de leurs vacances. Réécrivez avec un verbe au subjonctif présent ou passé pour exprimer leurs sentiments.**

Ex. : C'est formidable parce que j'ai pu partir avec eux.

→ C'est formidable que j'aie pu partir avec eux.

1. Je suis étonné parce que vous revenez sans un seul bon souvenir.

→ Je suis étonné ....

2. Il est très vexé parce que tu n'es pas partie avec lui.

→ Il est très vexé ....

3. C'est vraiment bien parce que nous les voyons souvent.

→ C'est vraiment bien ....

4. Nous sommes enchantés parce que tout s'est passé mieux que prévu.

→ Nous sommes enchantés ....

5. Elle est déçue parce que le gîte est mal entretenu.

→ Elle est déçue ....

6. Ils sont gênés parce que beaucoup de touristes sont vraiment impolis.

→ Ils sont gênés ....

7 **Des usagers parlent des transports en commun. Réécrivez avec la forme correcte pour exprimer leurs sentiments.**

Ex. : Les usagers sont mal informés.

a. Ça les agace d'être mal informés.

b. Ça m'agace que les usagers soient mal informés.

> Si les deux verbes se réfèrent à la même personne, on utilise l'infinitif.
> **Ex. :** *Je suis triste ~~que je n'aie pas eu de place~~.*
> → *Je suis triste **de ne pas avoir eu** de place.*

1. Je ne prends pas un train omnibus.

a. Elle préfère ....

b. Je préfère ....

2. Ils ont un supplément à payer.

a. Nous sommes étonnés ....

b. Ils sont étonnés ....

3. Tu n'as pas de retard.

a. Tu es soulagé ....

b. Elle est soulagée ....

4. Nous voyageons ensemble.

a. Ça te rassure ....

b. Ça nous rassure ....

8 **Lors d'un micro-trottoir, des passants s'expriment sur des problèmes humanitaires. Complétez avec le subjonctif présent ou passé.**

Ex. : Des enfants sont obligés de travailler !

→ Ça ne vous choque pas que des enfants soient obligés de travailler ?

1. Beaucoup de gens n'ont pas reçu d'aide !

→ Je trouve révoltant ....

2. Partout, des hommes et des femmes ne peuvent pas étudier.

→ Oui, nous estimons inadmissible ....

3. Des secours ont été envoyés rapidement.

→ En effet, c'est tout à fait légitime ....

4. Des individus ont interdit les activités culturelles dans leur pays.

→ Pour nous, c'est incompréhensible ....

5. Des mesures ont été prises pour améliorer la situation.

→ Tout le monde considère normal ....

6. On fait des efforts partout pour sensibiliser les populations.

→ Heureusement ! Il est réconfortant ....

9 **Des voisins parlent de la disparition de Julie. Mettez dans l'ordre.**

Ex. : fugué / est / Julie / il / possible / ait / que

Il est possible que Julie ait fugué.

1. sur place / urgent / est / se rendent / les enquêteurs / il / que

....

2. interrogés / veut / que / soient / le commissaire / les voisins

....

3. dans / que / la maison / demandent / ne / les enquêteurs / entre / personne

....

4. son comportement / n'ait pas / il / que / sa famille / est / inhabituel / bizarre / remarqué

....

5. que / il / il / y ait eu / violents / semble / des actes

....

6. rapidement / des analyses / est / effectuées / que / soient / indispensable / il

....

10 **Jeanne répond à un sondage sur les problèmes sociaux et écologiques actuels. Complétez le dialogue avec les informations suivantes.**

Ex. : Les salaires ne sont pas égaux.

1. Les discriminations ne sont pas condamnées.

2. Les dirigeants ne font rien de concret.

3. Certains vont peut-être réagir.

4. On ne sait pas si on va maintenir le droit de grève.

5. Il n'y a pas de concertation.

6. Les gens ne savent pas que des dangers nous menacent.

7. Certains citoyens ont enfin compris les enjeux.

8. Tout le monde n'agit pas encore de manière responsable.

9. Chacun se sent impliqué.

10. Nous, les combattants modernes, réunissons des sympathisants.

– Mademoiselle, bonjour. Nous faisons une enquête. Qu'est-ce qui vous vient tout de suite à l'esprit quand vous entendez le mot égalité ?

– Je pense qu'il est urgent que les salaires soient égaux entre les hommes et les femmes ayant les mêmes responsabilités. Et il est impératif que .... **(1)** systématiquement.

– Pour vous, est-il envisageable que .... **(2)** rapidement ?

– Il est possible que .... **(3)** un peu mais ce n'est pas dans leur intérêt.

– À votre avis, faut-il que .... **(4)** ?

– Pour moi, oui, mais avant tout il est indispensable que .... **(5)** régulière.

– Par ailleurs, l'avenir de notre planète vous inquiète-t-il ?

– Oui, il est important que .... **(6)**. Concernant l'environnement, c'est vraiment bien que certains citoyens .... **(7)**. Mais je crains que tout le monde .... **(8)**.

– Vous êtes plutôt optimiste sur l'avenir ?

– Bien sur, pour moi, l'essentiel est que chacun .... **(9)**. Il semble que, nous, les combattants modernes .... **(10)**

– Merci de vos réponses, mademoiselle, et bravo !

C Exprimer une opinion : indicatif ou subjonctif ?

Des verbes, des adjectifs et des formes impersonnelles permettent d'exprimer une opinion.

À la forme affirmative Ils expriment une conviction et sont suivis de l'**indicatif**.	On pense que Vous êtes sûrs que Elles estiment que Il est évident que } **c'est** une très bonne idée !
À la forme négative ou dans la question avec inversion Ils changent de sens et expriment généralement un doute, une indécision et sont suivis du **subjonctif**.	On ne pense pas que Vous n'êtes pas sûrs que } **ce soit** une bonne idée ! Êtes-vous certain que Pensez-vous que } **ce soit** une bonne idée ?

(!) Les formes généralement suivies du subjonctif peuvent être suivies de l'indicatif pour marquer une conviction. **Ex. :** *Je ne crois pas que **c'est** une bonne idée.* (= Je suis sûr que ce n'est pas une bonne idée.) *Je ne crois pas que **ce soit** une bonne idée.* (= Je ne sais pas si l'idée est bonne ou non).

11 🎧 10 **Écoutez et indiquez si les phrases expriment une conviction ou un doute.**

Ex. : « Il ne croit pas qu'on puisse venir. »

	Ex.	1	2	3	4	5	6	7	8	9	10
Conviction											
Doute	✔										

12 **Soulignez la forme correcte.**

Ex. : Il ne croit pas que ce *soit* / *sera* vraiment ce qu'ils aiment.

1. Il me semble que ce cadeau lui *plaira / plaise* !

2. Elles ont la certitude que cela lui *conviendra / convienne*.

3. Nous ne sommes pas sûrs que ce type de cadeau le *ravira / ravisse*.

4. C'est sûr, notre idée ne *pourra / puisse* que lui plaire !

5. Je ne suis pas totalement convaincu que le projet le *réjouira / réjouisse*.

6. Tu penses que ce petit gadget lui *fasse / fera* plaisir ?

7. On n'est pas vraiment sûrs que ce modèle *corresponde / correspondra* à ses goûts.

8. Je ne pense pas qu'il *a / ait* déjà ce modèle.

9. Vous croyez qu'ils *n'en ont pas déjà commandé / n'en aient pas déjà commandé* ?

10. Elle n'est pas sûre que ça lui *va / aille*.

13 **La famille Parant veut déménager. Mettez dans l'ordre leurs questions.**

Ex. : obtenir / on / un prêt bancaire / ? / pensez / puisse / vous / intéressant / qu' / -
Pensez-vous qu'on puisse obtenir un prêt bancaire intéressant ?

1. tu / que / les voisins / crois / voudront / un coup de main / nous / donner / ?

....

2. ? / - / la décoration / soit finie / il / certain / cette semaine / que / est

....

3. sommes / les meubles / - / nous / ? / rapidement / soient livrés / sûrs / que

....

4. ? / croyez / le gros mur / on / démolir / que / devra / vous / est-ce que

....

5. vous / que / garantisse / - / un bon accord / cette agence / croyez / ?

....

6. que / vous / croyez / ? / ce / la meilleure décision / soit / -

....

7. crois / tu / prêter / un peu d'argent / ? / tu / que / pourras / nous

....

8. vous / ? / - / que / beaucoup de travaux / pensez / à faire / il y ait

....

9. cette option / ? / sûrs / leur garantisse / que / - / ils / une entière satisfaction / sont

....

D Le subjonctif dans la proposition relative

Après des verbes qui expriment un but et quand il y a une incertitude sur la réalisation de ce but	Je **cherche** un studio **qui soit** confortable et **où je puisse** travailler au calme.
Après des verbes, souvent au conditionnel, qui expriment le souhait	Nous **souhaiterions** un appartement **qui ait** une terrasse calme et ensoleillée.
Après les mots négatifs *rien, personne, aucun, nulle part*	On ne connaît **rien qui puisse** les satisfaire.
Après un superlatif	C'est **le plus bel endroit** qu'il **ait vu** dans sa vie.
Après les mots *le seul, l'unique, le premier, le dernier*	C'est **le seul paysage** dont je me **souvienne**.

14 **Un responsable expose à un recruteur le profil qu'il recherche.**
a. Soulignez les propositions relatives au subjonctif.

Nous recherchons une personne <u>qui soit compétente dans plusieurs domaines</u> **(1)** et qui veuille **(2)**

travailler en équipe. Nous choisirons quelqu'un qui a suivi **(3)** différentes formations et qui connaît **(4)**

très bien nos activités. Nous voudrions un(e) candidat(e) en qui notre équipe ait **(5)** une totale confiance

et qui puisse **(6)** nous seconder. Je précise que nous avons besoin de quelqu'un qui sache parler **(7)**

japonais, qui ait effectué **(8)** des séjours au Japon. La personne engagée sera quelqu'un qui nous

permettra **(9)** de comprendre les différences culturelles entre la France et l'Asie.

b. Indiquez ce que les propositions relatives expriment.

	1	2	3	4	5	6	7	8	9
Une incertitude	✔								
Une quasi-certitude									

15 **Un animateur présente différents produits lors d'une foire. Complétez avec les verbes**
au subjonctif présent ou passé.

1. C'est la voiture la plus confortable que je connaisse *(connaître)* et la moins polluante que

je .... *(avoir conduit).* Ce véhicule est le moins bruyant que nous

.... *(proposer)* et le meilleur marché que nous .... *(avoir).*

2. Je vous suggère cette tablette : c'est la plus légère que je ....

(avoir essayé) et la moins fragile que vous .... *(pouvoir)* trouver.

3. Regardez ces lunettes ! Ce sont les plus élégantes que nous .... *(vendre)*

en ce moment, les plus solides que je .... *(pouvoir)* vous conseiller et les plus

discrètes que vous .... *(souhaiter)* porter.

16 **Des amis parlent de leur voyage. Réécrivez à la forme négative.**

Ex. : Laurent m'avait présenté quelqu'un que j'ai pu contacter là-bas !
→ Laurent ne m'avait présenté personne que je puisse contacter là-bas !

1. Nicole et Jacques ont vu quelque chose qu'ils voudraient rapporter de ce voyage.

→ ....

2. Nous avons trouvé quelqu'un qui savait bien parler italien.

→ ....

3. Samia avait déjà vu un douanier qui agissait comme ça.

→ ....

4. Ils sont déjà allés quelque part où les paysages leur ont plu totalement.

→ ....

5. J'ai vu quelque chose qui m'a intéressé.

→ ....

17 **Complétez les dialogues sur les activités culturelles avec les mots de la liste.**

meilleur • ~~dernier~~ • pire • premier • seul • seul et unique

Ex. : – Nous avons ce livre, voici notre dernier exemplaire.

– C'est le dernier que vous ayez ?

1. – J'ai lu une seule histoire de monstres.

– Tu veux dire que cette histoire, c'est .... ?

2. – Vous aviez déjà vu des films d'animation ?

– Non jamais, celui d'aujourd'hui, c'est ....

3. – Tu as visité tous les musées de la ville ?

– Oui, même les mauvais. D'ailleurs aujourd'hui, c'est ....

4. – Elles ne connaissent qu'un seul et unique château médiéval.

– Ah bon ? Là, sur la photo, c'est .... ?

5. – Ces jeunes chanteurs, tu les as déjà entendus ? Ils sont bons ?

– Tout à fait, ce sont ....

18 **Voici des phrases extraites d'un entretien d'embauche. Mettez dans l'ordre.**

1. l'expérience / ayez / que / faite / ? / la plus intéressante / vous / c'est

....

2. qui / vraiment motivée / ? / pouvez-vous / vous / ait / du premier stage / me parler

....

3. professionnelle / ? / vous / dont / soyez / le plus fier / la qualité / est / quelle

....

4. c'est / que / vous proposer / nous / le plus haut salaire / puissions

....

5. attestent de / les diplômes / nous / fournir / ? / qui / votre formation / pouvez-vous

....

6. nous / auxquelles / vous / vous / offrons / ayez droit / les seules garanties

....

BILAN

1 Un responsable informatique organise une réunion vidéo avec son équipe.
a. Soulignez les verbes au subjonctif présent.

Le responsable : Bonjour à tous, et bonjour à Bastien qui est avec nous depuis Toulouse ! Alors, attention, avec notre nouveau logiciel ! Je crains que tous les éléments n'apparaissent pas aussi clairement qu'avant ! Il va donc falloir que vous soyez très vigilants ; je voudrais d'ailleurs qu'on mette une note à tout le personnel.

Carla : Je vais m'en occuper. Et il se peut qu'il y ait déjà des erreurs. Il est indispensable que nous vérifiions bien le fichier clients.

Bastien : Oui, ici, il semble que quelques collègues ne puissent plus lire certaines données depuis cette nouvelle mise en place.

Le responsable : Ah bon ? J'aurais aimé qu'ils nous avertissent tout de suite !

Bastien : Je ne pense pas qu'ils s'en soient aperçus sur le moment.

Le responsable : Il se pourrait que ça se reproduise encore, il est urgent qu'on prévienne l'ensemble des collègues ; vous voyez ça très vite, Bastien ?

b. Relevez les structures qui justifient l'emploi du subjonctif.

Volonté : ....

Nécessité : ....

Possibilité : ....

Doute : ....

Sentiment : ....

Souhait : ....

2 Un habitant d'une résidence a coupé des arbres sans prévenir. Complétez l'extrait
de la lettre des voisins avec des verbes au subjonctif, à l'indicatif ou à l'infinitif.

Nous aurions préféré vous en .... **(1)** *(parler)* de vive voix mais vous refusez que

nous .... **(2)** *(se rencontrer)*, d'où ce courrier.

Il est important que vous .... **(3)** *(savoir)* que vous .... **(4)** *(commettre)*

l'irréparable ! Nous ne pouvons pas admettre que deux petits arbres vous .... **(5)**

(gêner) et que vous les .... **(6)** *(couper)* sans nous prévenir ! Il est vraiment choquant

que vous .... **(7)** *(choisir)* une mesure aussi radicale. Si ces arbres vous gênaient,

il nous semble que vous .... **(8)** *(pouvoir)* venir nous voir pour en discuter entre adultes.

Il est infiniment regrettable que vous .... **(9)** *(ne pas prendre la peine)* de le

faire ! Nous sommes tous peinés de .... **(10)** *(devoir)* partager notre voisinage avec

des personnes telles que vous.

3 Complétez ces dépêches d'information avec les verbes au subjonctif ou à l'indicatif.

L'INFO

Au fil de l'AFP

🐦 📘 ⬚ Partager ⟨357⟩

30/08/2018 – 17 : 00

Les dégâts de la tempête Josepha n'ont pas encore été évalués. On attend que les chiffres exacts .... *(être communiqué)*.
Le *Sauvelestous* sera bientôt de nouveau en mer ! C'est rassurant que ce bateau .... *(reprendre)* ses sauvetages en Méditerranée.

Édouard Piton n'abandonnera pas la politique ! Il est sûr qu'il .... *(revenir)* un jour sur la scène politique.

Des villes écolo-vélo se sont développées ces dix dernières années. Beaucoup d'habitants se réjouissent que leur ville .... *(accroître)* le nombre des pistes cyclables.

Le krach boursier de mars dernier a provoqué de nombreuses faillites. Pour les économistes, c'est la pire crise boursière qu'ils .... *(vivre)*.

Les tennismen français se sont qualifiés pour la finale. On les félicite pour leur esprit d'équipe qui leur .... *(permettre)* de remporter la victoire.

Les dernières journées européennes du patrimoine ont eu un immense succès. Tous les participants ont déclaré que l'organisation .... *(être)* parfaite.

4 Complétez l'extrait du bulletin municipal de la ville de Dax avec les verbes à l'indicatif, au subjonctif présent ou passé ou à l'infinitif.

Bulletin municipal

La parole est aux Dacquois...

Campagne contre les incivilités

Nous voulons que Dax .... *(redevenir)* une ville propre !

L'ensemble des élus trouve qu'il .... *(falloir)* agir maintenant et que demain il .... *(être)* trop tard ! Il est inadmissible que nos agents de nettoyage .... *(être obligé)* de ramasser mégots, cannettes, chewing-gum, et cela plusieurs fois par jour.

Un papier par terre = 68 euros, dommage que vous .... *(ne pas voir)* la poubelle, juste à côté ! Et tous ces matériels ou meubles usagés, dans les rues ? Ça ne vous gêne pas de .... **(6)** *(abandonner)* votre vieux canapé sur le trottoir ?

Le seul mot d'ordre que nous .... **(7)** *(donner)* aux Dacquois :

Responsabilité ! C'est l'affaire de tous !

Le passif **6**

> Pour donner des informations
> Pour raconter des faits passés

> Pour faire une description
> Pour commenter un événement

A La forme passive

La forme passive met en valeur l'objet du verbe plutôt que son sujet. **Ex. :** *La société Vinci entretient cette autoroute (phrase active). Cette autoroute est entretenue par la société Vinci (phrase passive).*

être + participe passé	Une loi sur les limitations de vitesse **a été votée** par le Parlement. Des conducteurs **sont irrités** de cette décision qui ne **sera** pas **respectée** facilement.

Le temps de l'auxiliaire *être* indique le temps du verbe à la forme passive.
Le participe passé s'accorde avec le sujet. **Ex. : *La mesure** a été désapprouvée par les partis d'opposition.*
Les verbes qui ne peuvent pas avoir de COD n'ont pas de forme passive.

1 Peut-on mettre ces informations sur la France à la forme passive ? Cochez.

	oui	non
Ex. : En France, on peut voter à l'âge de 18 ans.	☐	☑
1. On commémore la fin de la Première Guerre mondiale le 11 novembre.	☐	☐
2. On élit un nouveau président tous les cinq ans.	☐	☐
3. On rentre à l'école maternelle à trois ans.	☐	☐
4. On fabrique des fromages dans de nombreuses régions.	☐	☐
5. On préfère Internet aux médias traditionnels.	☐	☐
6. De plus en plus de personnes consomment des produits bio.	☐	☐

2 La société Lambert rencontre des problèmes. Complétez la terminaison des participes passés si nécessaire.

Ex. : La réunion a été reportée à jeudi.

1. Une nouvelle date doit absolument être trouvé .... pour établir les devis.

2. Aucune proposition n'a été validé .... jusqu'à maintenant.

3. Trois rendez-vous ont été annulé .... depuis début septembre.

4. Les dossiers ne sont pas encore enregistré .... à la préfecture.

5. Le bilan n'est toujours pas acté .... entre les dirigeants.

6. La visite à l'usine sera probablement ajourné ....

3 **Un journaliste a pris des notes pour rédiger ses articles. Écrivez les informations à la forme passive.**

Ex. : Ouverture d'une nouvelle station de métro / au printemps prochain
→ Une nouvelle station de métro sera ouverte au printemps prochain.

1. Inauguration de la nouvelle salle de spectacle / hier

→ La nouvelle salle de spectacle ....

2. Présentation des dernières collections de prêt-à-porter / aujourd'hui

→ Les dernières collections de prêt-à-porter ....

3. Fermeture de l'établissement thermal / à la fin du mois prochain

→ L'établissement thermal ....

4. Signature d'un nouvel accord avec les syndicats / au début de la semaine dernière

→ Un nouvel accord avec les syndicats ....

5. Désignation des participants au festival d'Aurillac / demain

→ Les participants au festival d'Aurillac ....

6. Reprise de l'exposition Picasso / la saison prochaine

→ L'exposition Picasso ....

4 **Des architectes se réunissent pour un séminaire de travail. Réécrivez leur programme à la forme passive.**

> Le complément d'agent est généralement introduit par *par*.
> **Ex. :** *Nous serons reçus **par** le responsable du projet.*

Mesdames et Messieurs, voici le programme de votre voyage.
À votre arrivée à Cannes, notre directrice, madame Larose, vous accueillera.
On vous conduira à votre hôtel où le président vous invitera à un dîner avec tous les participants. Le lendemain, le responsable du programme vous attendra pour une rapide présentation avant une journée de travail. On consacrera le surlendemain à des débats auxquels notre ingénieur a convoqué quelques spécialistes. Enfin, madame Larose vous réunira pour un discours de clôture, puis on reconduira tous les participants à l'aéroport.

→ À votre arrivée à Cannes, vous serez accueillis par notre directrice, madame Larose.

....

....

....

....

....

5 **Un article raconte un accident.**
Complétez à la forme passive à l'imparfait
ou au passé composé. Utilisez *de* ou *par*
devant le complément d'agent.

> Le complément d'agent est introduit par *de* avec des verbes exprimant une description ou un sentiment. **Ex. :** *Heureusement, la victime était accompagnée **d'**un ami.*

Un jeune homme a été renversé *(renverser)* par une voiture place Stanislas. Il .... **(1)**

(relever) .... des piétons. Son visage .... **(2)** *(couvrir)* .... sang.

Les secours .... **(3)** *(appeler)* .... des témoins. Le conducteur .... **(4)**

(paralyser) .... peur. Les déclarations des témoins .... **(5)** *(recueillir)*

.... la police. Le conducteur .... **(6)** *(accuser)* .... excès de vitesse.

B La forme pronominale à sens passif

Avec un sujet inanimé

Quand elle est utilisée avec un **sujet inanimé**, la forme pronominale a souvent un **sens passif**.	**Ce genre de robe** se porte en toute occasion. Ce type de tissu, **ça** se voit dans les pays chauds. **Ces modèles** ne se font qu'en noir.

(!) Avec cette structure, le complément d'agent est introduit par *de*. **Ex. :** *Le sol se couvre **de** neige.*

6 **Albane raconte ses vacances dans le désert. Réécrivez les phrases à la forme pronominale à sens passif.**

Ex. : Dans le désert, un grand nombre d'étoiles illuminent les nuits.
→ Dans le désert, les nuits s'illuminent d'un grand nombre d'étoiles.

1. On rencontre souvent ces paysages à l'est.

→ ....

2. On trouve principalement ces pierres près des oueds.

→ ....

3. Des peaux d'animaux recouvrent les tentes.

→ ....

4. On porte ces robes pour les mariages.

→ ....

5. On transmet ces bijoux traditionnels de mère en fille.

→ ....

6. On fabrique ces petits objets artisanaux partout.

→ ....

7 🎧 **11** **Écoutez et indiquez si le verbe pronominal a un sens passif ou actif.**

Ex. : « Elles se téléphonent régulièrement. »

	Ex.	1	2	3	4	5	6	7	8	9	10
Sens passif											
Sens actif	✔										

8 **Mettez dans l'ordre les informations sur la langue française.**

Ex. : ne / ce mot / à cette époque / pas / se / disait
Ce mot ne se disait pas à cette époque.

1. facilement / déchiffre / c'est / qui / un alphabet / se / pas / ne

....

2. dans / se / ce niveau de langue / ne / utilise / pas / une situation formelle

....

3. se / dans / cet accent / le nord / entend / de la France

....

4. rencontrent / ces expressions / couramment / se / dans ma région

....

5. comme ça / prononçait / autrefois / ne / pas / se / cette forme

....

6. la langue / simplifie / à / se / de plus en plus / l'oral

....

7. ne / apprend / de la même / la grammaire / plus / se / manière

....

9 **Complétez la description de cet agent commercial avec les verbes de la liste.**

**se vendre • se brancher • se conduire • s'entendre • s'entretenir •
se garer • se retrouver • s'utiliser • se voir**

Cette nouvelle voiture s'utilise en ville. Comme elle marche à l'électricité, elle .... **(1)**

sur n'importe quelle prise électrique et son moteur ne .... **(2)** pas, il est silencieux.

Elle .... **(3)** sans fatigue, elle est sûre et légère. Elle est très économique, elle

.... **(4)** à peu de frais. Elle .... **(5)** dans très peu d'espace. Elle ne

.... **(6)** pas encore beaucoup : peu de monde la possède actuellement. Mais, même

si elle .... **(7)** à un prix assez élevé, elle .... **(8)** en bonne place sur

le marché de l'automobile.

10 **Le maire de Saint-Agrève informe les habitants des résultats de ses actions politiques. Écrivez les phrases à la forme pronominale.**

Ex. : doter de – nouvelles structures ➔ Notre ville s'est dotée de nouvelles structures.

1. équiper de – pistes cyclables ➔ Elle ....

2. agrandir de – deux classes ➔ L'école ....

3. recouvrir de – végétation ➔ Des façades ....

4. enrichir de – nouvelles œuvres ➔ Notre musée ....

5. orner de – lampadaires design ➔ Nos rues ....

6. entourer de – bacs à fleurs ➔ La place de la Mairie ....

7. agrémenter de – une grille ➔ L'entrée du château ....

8. parer de – une tapisserie ➔ La salle de réception ....

Avec un sujet animé

Se faire + infinitif est utilisé **seulement avec un sujet animé**.	**Sujet animé +** se faire + infinitif	Ne mets pas ton portefeuille dans ta poche, **tu** risques de **te le faire voler** ! **Marie s'est fait offrir** un collier en or.

(!) Le participe passé *fait* est invariable. *Se faire* + infinitif peut avoir un complément d'objet et un complément d'agent. **Ex. :** *Elle s'est fait voler son sac par une inconnue.*
Selon le sens du verbe, le sujet peut décider l'action ou la subir. **Ex. :** *Elle s'est fait offrir un collier en or.*
Sens actif : elle a demandé à quelqu'un de lui en offrir un. **Sens passif :** c'est un cadeau surprise.

11 **Le logement de Stéphane a été cambriolé. L'homme raconte l'événement à son collègue. Complétez le dialogue avec le temps correct.**

– Voilà, ça devait arriver un jour ! On s'est fait cambrioler *(se faire cambrioler)* le week-end dernier.

– Ils ont emporté beaucoup de choses ?

– Ma femme .... **(1)** *(se faire voler)* tous ses bijoux et moi, mes appareils photo.

Et pour qu'on .... **(2)** *(se faire rembourser)*, ce n'est pas facile !

– Tu as raison, ça devient de plus en plus difficile de .... **(3)** *(se faire indemniser)*

par les assurances. J'ai une copine qui .... **(4)** *(se faire agresser)* l'année

dernière, elle attend toujours l'argent.

– Je ne sais pas comment les criminels font pour ne pas .... **(5)** *(se faire prendre)* !

Je crois qu'on .... **(6)** *(se faire installer)* une alarme

très vite, comme ça, on ne risquera plus de .... **(7)** *(se faire dévaliser)* !

12 **Indiquez si les phrases ont un sens actif ou un sens passif.**

	Sens actif	Sens passif
Ex. : Elles se sont fait accuser de vol.	☐	☑
1. Je me suis fait bousculer en montant dans le métro.	☐	☐
2. Ma copine s'est fait voler son téléphone.	☐	☐
3. Elle s'est fait construire une maison sur la Côte d'Azur.	☐	☐
4. Il s'est fait contredire durant toute la réunion.	☐	☐
5. Ma collègue s'est fait couper les cheveux très court.	☐	☐
6. Ils se sont fait gronder par leurs parents.	☐	☐
7. Je me suis fait inviter.	☐	☐
8. Ils se sont fait punir.	☐	☐

C La forme impersonnelle à sens passif

Utilisée dans des documents administratifs ou journalistiques, la forme impersonnelle à sens passif met en valeur l'action exprimée par le verbe.	Les autorités ont décidé de modifier le mode de sélection. **Il a été décidé** par les autorités de modifier le mode de sélection.

13 **Réécrivez les phrases à la forme impersonnelle à sens passif.**

Ex. : On a longtemps interdit aux femmes de voter.
→ Il a longtemps été interdit aux femmes de voter.

1. On n'accordera aucune dérogation.

→ ....

2. On a toujours déconseillé de téléphoner en marchant dans la rue.

→ ....

3. On va prohiber de fumer dans les parcs municipaux.

→ ....

4. On ne permet pas aux mineurs de participer aux conseils municipaux.

→ ....

5. On a confirmé que les hommes auront droit à un congé paternité.

→ ....

6. On aurait prévu de transformer le mode de scrutin.

→ ....

BILAN

❶ Un animateur radio présente une soirée à l'Opéra. Réécrivez à la forme passive les éléments en italique. Utilisez la forme pronominale lorsque c'est possible.

Mesdames et Messieurs, bonsoir. Soirée exceptionnelle pour la première de « Jour et nuit », l'opéra sur la vie de Nicolas Fouquet *qu'a écrit Rose Martin* **(1)**. *On jouera cet opéra* **(2)** pendant trois mois. C'est l'auteur lui-même *qui a choisi les interprètes* **(3)** et *qui les a dirigés* **(4)**. Ce soir, *on attend beaucoup de monde* **(5)**. *On a vendu toutes les places* **(6)**. La salle se remplit peu à peu. *Des ouvreuses en costume d'époque accueillent les spectateurs* **(7)**. *On les a choisies* **(8)** parmi les élèves d'un cours de théâtre. Je vous rappelle que *notre radio retransmettra le spectacle* **(9)** dans son intégralité. Mais, silence ! Il est presque 21 heures, *on va bientôt lever le rideau* **(10)**. Bonne soirée à tous.

Mesdames et Messieurs, bonsoir. Soirée exceptionnelle pour la première de « Jour et nuit », l'opéra sur la vie de Nicolas Fouquet .... **(1)**.

.... **(2)** pendant trois mois. ....

.... **(3)** et .... **(4)**

par l'auteur lui-même. Ce soir, ... **(5)**.

.... **(6)**. La salle se remplit peu à peu.

.... **(7)**.

.... **(8)** parmi les élèves d'un cours de théâtre. Je vous

rappelle que .... **(9)** dans son intégralité.

Mais, silence ! Il est presque 21 heures, ... **(10)**.

Bonne soirée à tous.

❷ Ali et Marc discutent de la circulation dans leur ville. Complétez le dialogue avec les verbes de la liste à l'une des formes du passif.

installer • se justifier • ne plus bloquer • prévoir • se sentir • faire • obliger

– Tu sais qu'il .... **(1)** de fermer les quais à la circulation pour le festival ?

– Franchement, c'est stupide, ça ne .... **(2)** pas ! Et juste à ce moment-là !

Les festivaliers vont .... **(3)** de rester dans le centre, ils ne pourront pas circuler.

– Ils pourront aller sur le boulevard Chantelle et puis ils auront les parcs. Tu sais, depuis les

nouveaux aménagements, le trafic est bien plus fluide, ça .... **(4)** vraiment,

on .... **(5)** comme avant. Toutes ces modifications

.... **(6)** intelligemment, et depuis qu'un péage .... **(7)**

à l'entrée de la ville, ça va mieux, je t'assure.

– Tu as peut-être raison. On verra !

3 Le journal local *Morvan Info* raconte la fête pour la centenaire Germaine Dublé. Écrivez l'article à partir des notes du journaliste. Utilisez la forme pronominale et le verbe *se faire* lorsque c'est possible.

Festivités / Centenaire de Germaine Dublé

1. Hier, tout le village de Salmaise a fêté Germaine Dublé.

2. On a projeté deux petits films sur sa jeunesse.

3. Le maire de Salmaise a prononcé un beau discours pour Germaine.

4. Les élèves du village lui ont offert des dessins et des fleurs.

5. On a terminé la cérémonie par des chansons.

6. Fatiguée mais heureuse, Germaine a demandé qu'on la raccompagne vers 21 heures.

Morvan Info

Une sympathique **centenaire** !

Hier,

4 Écrivez les titres des articles avec des formes passives ou pronominales.

1 désignation du lauréat / le jury / ce soir

2 non-réception des champions / le Président / avant samedi prochain

3 bousculade de manifestants / des individus casqués / hier soir

4 probable vol du sac du facteur / deux jeunes à moto / ce matin

5 renouvellement de tous ses membres / la commission / lors du prochain congrès

6 blocage des négociations / les grévistes / depuis 48 heures

L'infinitif 7

> Pour donner une information, une précision
> Pour donner une instruction
> Pour exprimer un jugement, une opinion

> Pour exprimer un sentiment
> Pour formuler une excuse, des regrets
> Pour formuler un remerciement

A L'infinitif présent et l'infinitif passé

Infinitif présent	**radical** + **terminaison** -er, -ir, -oir, -re **parl**er – **fin**ir – **voir** – **atten**dre	Vous m'appellerez avant de **part**ir.
Infinitif passé	**être** ou **avoir** + **participe passé** avoir mangé – être parti – s'être levé	Nous partirons après **avoir fini**.

(!) À l'infinitif passé, le choix de l'auxiliaire et l'accord du participe passé suivent les mêmes règles que pour les temps composés, voir chapitre 1. *Les temps du passé*. **Ex. :** *Elles sont contentes d'être arrivées.*
L'infinitif peut être utilisé à la forme passive. **Ex. :** *Ils sont contents d'**avoir été acceptés**.*
L'infinitif passé marque une antériorité par rapport au temps de la principale. **Ex. :** *Je prendrai mon petit déjeuner après m'être douché.*

1 🎧 12 **Écoutez et indiquez si on entend l'infinitif présent ou l'infinitif passé dans ces déclarations de sportifs après une compétition.**

Ex. : « On est déçus d'avoir perdu. »

	Ex.	1	2	3	4	5	6	7	8
Infinitif présent									
Infinitif passé	✔								

2 L'arrière-grand-mère de Marie lui explique ce qu'elle doit avoir fait avant de penser au mariage. Complétez avec des infinitifs passés.

Avant de se marier, il est important pour toi :

Ex. : d'avoir fait *(faire)* des études,

1. de .... *(voyager),*

2. de .... *(s'amuser),*

3. de .... *(se faire)* des amis,

4. de .... *(sortir),*

5. de .... *(vivre)* seule,

6. de .... *(connaître)* d'autres manières de vivre.

3 **Voici quelques actes de la vie quotidienne. Réécrivez les phrases pour informer sur deux actions successives.**

> *avant de* + infinitif présent
> *après* + infinitif passé

Ex. : Je vais appeler Pierre et je servirai le repas. *(après)*

→ Je servirai le repas après avoir appelé Pierre.

1. Il fera quelques courses et il rentrera chez lui. *(avant de)*

→ ....

2. Nous passerons chez nos parents et nous viendrons te voir. *(après)*

→ ....

3. Elle se rendra à la banque et elle ira à l'agence de voyages. *(avant de)*

→ ....

4. Il vérifiera les horaires du spectacle et il prendra les billets. *(après)*

→ ....

5. Nous coucherons les enfants et nous regarderons un film. *(avant de)*

→ ....

6. Ils finiront leurs devoirs et ils iront jouer. *(après)*

→ ....

7. Je demanderai les tarifs et je te tiendrai au courant. *(avant de)*

→ ....

8. Vous verrez le médecin et vous vous arrêterez à la pharmacie. *(après)*

→ ....

4 **Rachid et Marlène craignent de s'installer dans une autre région. Écrivez la phrase avec des infinitifs.**

> Les négations *ne pas, ne rien, ne plus, ne jamais, ne pas encore* se placent devant l'infinitif.
> **Ex. :** *J'ai peur de **ne rien** comprendre.*

Si nous nous installons en Bourgogne, plusieurs choses nous font peur :

Ex. : nous ne serons plus dans notre environnement   → ne plus être dans notre environnement,

1. nous ne verrons plus nos amis   → ....,

2. nous n'aurons jamais une maison aussi belle   → ....,

3. nous ne nous promènerons plus sur la plage   → ....

4. nous ne trouverons pas les mêmes commerçants   → ....,

5. nous ne connaîtrons personne   → ....,

6. nous ne ferons plus rien comme avant   → ....,

7. nous n'aurons plus autant de transports publics   → ....

5 🎧 13 **Sylvia craint d'avoir échoué à un entretien d'embauche.
Écoutez et complétez.**

Ex. : « Est-ce que j'ai bien répondu ? » Je crains de ne pas avoir bien répondu.

1. Je crains de ....

2. Je crains de ....

3. Je crains de ....

4. Je crains de ....

5. Je crains de ....

6. Je crains de ....

B L'emploi de l'infinitif

Dans une phrase simple

Sujet du verbe	**Manger est** indispensable.
Après *c'est*	Mon rêve, **c'est partir** loin !
Complément d'un nom ou d'un adjectif	Je n'ai plus **la force de parler**. Nous sommes **prêts à partir**.
Complément d'un verbe avec ou sans préposition	Elle **commence à parler**. **Excusez-moi de** ne pas vous **avoir prévenu**. Il **est venu** me **raconter** son histoire.

(!) L'infinitif est utilisé dans la construction passive avec *se faire* et *se laisser*, voir chapitre 6. *Le passif.*

6 **Dans un mél, Lylia explique à une amie sa conception des vacances.
Indiquez la fonction des infinitifs.**

Pour moi, les vacances, c'est *vivre* différemment, ne rien prévoir **(1)**. J'adore lire **(2)** et faire du sport **(3)**. Me promener **(4)** aussi est très important, je suis capable de marcher **(5)** pendant des heures. Cela me permet de réfléchir **(6)**, et de rêver **(7)** aussi. S'accorder **(8)** du temps est devenu un luxe. C'est un vrai plaisir de ne plus regarder **(9)** sa montre !

	Ex.	1	2	3	4	5	6	7	8	9
Sujet du verbe										
Après *c'est*	✔									
Complément d'un nom ou d'un adjectif										
Complément d'un verbe										

7 **Marie liste dans son journal ce qu'elle a fait dans la journée. Complétez avec des infinitifs pour donner des précisions sur ses activités.**

Aujourd'hui, je n'ai pas vu le temps passer ! Je suis allée faire des courses (*je suis allée / j'ai fait*), ensuite,

Hélène .... **(1)** (*est venue / elle m'a rejointe*) et

.... **(2)** (*nous sommes parties / nous nous sommes*

promenées). .... **(3)** (*J'étais contente / j'ai pu discuter*)

avec elle. À midi, ... **(4)** (*j'ai couru / j'ai attendu*)

les enfants à l'école et .... **(5)** (*je suis rentrée / je les ai*

fait déjeuner). À 14 heures, ... **(6)** (*je suis retournée /*

je les ai conduits) à l'école, et après .... **(7)** (*je suis*

partie / j'ai travaillé). Le soir, ... **(8)** (*je suis rentrée /*

je me suis changée), ... **(9)** (*je suis descendue /*

j'ai pris) un taxi. C'est toujours une grande joie .... **(10)**

(*j'ai retrouvé*) Pierre : .... **(11)** (*nous sommes*

sortis / on a dîné) dans un restaurant chinois.

8 **Réécrivez les phrases avec un infinitif pour formuler une excuse, des regrets ou des remerciements.**

> La préposition *de* est utilisée après les adjectifs et certains verbes ou expressions de politesse.

Ex. : Je n'ai pas pu venir, excuse-moi.   → Excuse-moi de ne pas avoir pu venir.

1. Tu es là. Merci !   → ....

2. J'ai oublié. Je suis désolé.   → ....

3. Il s'est mal tenu. Excusez-le.   → ....

4. Vous m'avez informée. C'est gentil.   → ....

5. Je ne me suis pas présenté. Je regrette.   → ....

6. Je ne vous ai pas prévenus. Pardon !   → ....

7. Je ne les ai pas invités. Désolé !   → ....

8. Vous vous êtes occupés de nous.

   Nous vous remercions !   → ....

9. Je ne peux pas t'aider. Ça m'ennuie.   → ....

10. Ils ne se sont pas inscrits. Ils regrettent.   → ....

11. Je ne suis pas en avance. Pardon !   → ....

Dans une phrase complexe

À la place d'une subordonnée complétive quand le verbe des deux propositions a le même sujet ou se réfère à une même personne. • Quand le verbe de la subordonnée est au subjonctif : la transformation est obligatoire. • Quand le verbe de la subordonnée est à l'indicatif : la transformation est facultative.	Je suis contente d'**être** là. Cela le dérange de **partir**. Il est parti sans **prévenir**. Je voudrais **m'inscrire.** (Je voudrais que je m'inscrive.) Il est parti après qu'il a reçu l'appel. Il est parti après **avoir reçu** l'appel.
À la place d'une subordonnée relative avec *où* ou préposition + pronom relatif	Je cherche une librairie **où trouver** ça. (= où je puisse trouver ça) Je cherche quelqu'un **avec qui parler**. (= avec qui je pourrais parler)
À la place d'une subordonnée interrogative indirecte	Je ne sais pas **quoi faire** ni **qui croire**.

9 Jonathan a reçu une publicité pour une compagnie d'assurances. Réécrivez les arguments avec un infinitif pour donner des précisions.

Ex. : Êtes-vous sûrs que vous laissez votre maison dans les meilleures conditions ?

1. Êtes-vous sûrs que vous n'oubliez pas une fenêtre ouverte ?
2. et 3. Êtes-vous sûrs que vous avez bien éteint les lumières et le chauffage avant votre départ ?
4. Êtes-vous sûrs que vous avez fermé le gaz ?
5. Êtes-vous sûrs aussi que vous avez déposé un double de vos clés chez vos voisins ou vos amis ?
6. Êtes-vous certains que vous avez pensé à tout ?
7. Vous aurez la garantie que vous n'aurez pas de préoccupations pendant votre voyage loin de chez vous !
8. Vous êtes assurés que vous ne trouverez aucune mauvaise surprise à votre retour !

Vous partez en voyage, mais êtes-vous sûr de laisser votre maison dans les meilleures conditions ?

Êtes-vous sûrs _____ **(1)** une fenêtre ouverte ? Êtes-vous sûrs

_____ **(2)** les lumières et le chauffage avant _____ **(3)** ?

Êtes-vous sûrs _____ le gaz **(4)** ? Êtes-vous sûrs aussi _____ **(5)**

un double de vos clés chez vos voisins ou vos amis ? Êtes-vous certains _____ **(6)**

à tout ?

Grâce à nous, vous aurez la garantie _____ **(7)** de préoccupations

pendant votre voyage loin de chez vous ! Avec nous, vous êtes assurés _____ **(8)**

aucune mauvaise surprise à votre retour !

Renseignez-vous auprès d'une agence d'*Assurance tout risque* près de chez vous.

Merci de votre confiance !

10 **Écrivez les phrases avec les éléments proposés et un infinitif.**

Ex. : Ils ont réussi à se mettre d'accord. Ils ne se sont pas disputés. *(sans)*

→ Ils ont réussi à se mettre d'accord sans se disputer.

1. Nous sommes intervenus. Nous les avons aidés. *(pour)*

→ ....

2. Ils se sont rencontrés. Ils se sont téléphoné. *(après)*

→ ....

3. Ils avaient relu le dossier. Ils se sont appelés. *(avant)*

→ ....

4. L'avocat est venu. Il les a tranquillisés. *(afin de)*

→ ....

5. Ils veulent discuter de certains points. Ils prendront une décision. *(en attendant de)*

→ ....

6. Ils ont décidé de se revoir. Ils ont peut-être oublié des éléments. *(de peur de)*

→ ....

7. Ils veulent recontacter l'avocat. Ils se sont peut-être trompés. *(de crainte de)*

→ ....

C La proposition infinitive

Après les verbes de perception *écouter, entendre, regarder, voir, sentir...*	J'ai entendu des gens **se plaindre**.
Après les verbes *laisser, faire, envoyer, emmener*	Il a emmené ses amis **voir** le nouveau film.

L'infinitif a pour sujet le complément d'objet du verbe conjugué.
Le participe passé de *faire* et *laisser* suivis d'un infinitif ne s'accorde jamais.
Le participe passé des verbes de perception s'accorde avec le pronom COD si celui-ci fait l'action de l'infinitif.
Ex. : *Je **les** ai entendus se plaindre.*

11 **Une mère évoque le monde de l'enfance. Mettez dans l'ordre.**

Ex. : tout seuls / les / jouer / observe / on

→ On les observe jouer tout seuls.

1. des histoires / nous / raconter / ils / écoutent

....

2. facilement / les / rire / on / fait

....

3. les / laisse / ne / on / longtemps / pas / pleurer

_____

4. des mots / souvent / expliquer / ils / nous / font

_____

5. chanter / on / les / souvent / entend

_____

6. se / les / on / regarde / contempler / le miroir / dans

_____

7. nous / leur univers / emmènent / ils / découvrir

_____

12 **Réécrivez avec le pronom indiqué et le verbe au passé composé.**

Ex. : Nous avons attendu. *(il / faire)* → Il nous a fait attendre.

1. Ils sont entrés. *(je / faire)* → _____

2. Elle s'est inscrite. *(vous / laisser)* → _____

3. Il a relu. *(elle / faire)* → _____

4. Elle a traduit l'article. *(je / écouter)* → _____

5. J'ai réfléchi. *(elle / laisser)* → _____

6. Ils ont hésité. *(je / voir)* → _____

13 **Deux voisines discutent d'un nouveau locataire. Complétez le dialogue avec des propositions infinitives pour donner des informations.**

– Vous ne trouvez pas qu'il est bizarre, le nouveau locataire du cinquième ?

– Ah, si alors ! Tenez, hier soir, je n'ai pas compris ce qu'il faisait. Je l'ai entendu sortir *(je l'ai entendu qui sortait)* de chez lui, alors j'ai jeté un œil et _____ **(1)** *(je l'ai vu qui portait)* un gros sac.

– Moi aussi, _____ **(2)** *(je l'ai vu qui descendait)* avec un sac.

– _____ **(3)** *(je l'ai aussi entendu qui se parlait)*.

Il est allé à la cave, et par le trou de la serrure _____ **(4)** *(je l'ai vu qui mettait)* quelque chose dans la poubelle. _____ **(5)** *(je l'ai regardé qui refermait)* le couvercle, il avait l'air inquiet.

– Vraiment, je me demande ce qu'il faisait !

BILAN

1 Une directrice va prendre le train. Elle donne des instructions à Julia, son assistante. Complétez le dialogue avec des infinitifs. Attention à la forme passive !

– Oh, Julia, il est presque 19 heures, le train risque de .... **(1)** *(me / ne pas attendre)* ! Je dois .... **(2)** *(se dépêcher)* ! Avant de .... **(3)** *(s'en aller)*, je voulais .... **(4)** *(se mettre)* d'accord avec Richard. Il n'est pas revenu ?

– Non, il a dû .... **(5)** *(retarder)*. Je l'ai entendu .... **(6)** *(il a dit)* qu'il passerait aussi à l'atelier.

– Ah, je regrette de .... **(7)** *(le / ne pas appeler)* plus tôt. Tant pis, je pars, ça serait vraiment stupide d' .... **(8)** *(obliger)* de .... **(9)** *(prendre)* un autre train. Je vous laisse ces dernières pages. Après .... **(10)** *(les / relire)* et .... **(11)** *(les / corriger)*, partez sans .... **(12)** *(s'inquiéter)*, n'attendez pas Richard, il fermera le bureau !

– D'accord. Bon voyage, madame Pignet.

2 Lucie raconte à son amie ce qui s'est passé dans l'avion. Complétez son récit avec des infinitifs.

Au moment de .... **(1)** *(on a atterri)*, on a remarqué un passager bizarre qu'on .... **(2)** *(on l'a vu qui se levait, qui se rasseyait et qui se relevait)*. Il était devant, et moi assez loin, mais je .... **(3)** *(l'ai entendu qui criait)* et .... **(4)** *(on l'a regardé, il faisait de grands gestes)*. .... **(5)** *(rester)* debout à l'atterrissage est bien sûr interdit. Alors une hôtesse .... **(6)** *(lui a ordonné : « Asseyez-vous ! »)*, et .... **(7)** *(lui a dit : « Calmez-vous ! »)*. Elle .... **(8)** *(a répété : « Ne vous inquiétez pas ! »)*. Il s'est excusé de .... **(9)** *(il a eu)* une crise de panique et de .... **(10)** *(il n'a pas pu)* se contrôler. C'était la première fois que je voyais ça mais il paraît que c'est assez courant. Des amis .... **(11)** *(m'ont dit qu'ils avaient déjà vu des gens qui paniquaient)*.

BILAN

3 Voici le scénario d'une scène de film. Complétez avec l'infinitif et un pronom si nécessaire. Attention à l'accord du participe passé !

LE VOLEUR EST DANS L'ESCALIER

Scène 8 / 36

Dans le bureau du commissaire

Le commissaire : Vous ne m'avez pas tout dit !

Monsieur Landrin : Si, je pense ....

Le commissaire : Vous ne m'avez rien caché ?

Monsieur Landrin : Non, je ne crois pas ....

Le commissaire : Vous n'avez jamais vu cet homme ?

Monsieur Landrin : Non, je suis sûr de ....

Le commissaire : Et vous ne connaissez pas cette femme ?

Monsieur Landrin : Non plus, je ne pense pas .... , non !

Le commissaire : Vous me mentez !

Monsieur Landrin : Écoutez ! Je n'ai aucune raison de .... !

Le commissaire : Hier, vous avez dîné avec ces deux personnes !

Monsieur Landrin : Pas du tout ! Hier, après .... *(aller)* seul au restaurant, je suis rentré .... *(se coucher)* tranquillement.

Le commissaire : Vous avez un témoin ?

Monsieur Landrin : Je ne peux pas .... témoin, je vis seul !

Le commissaire : Bon, reprenons depuis le début…

32

---

4 Réécrivez les instructions du code la route avec un infinitif.

L'essentiel

1. Soyez sûr. Vous connaissez bien votre véhicule.
2. Réglez vos rétroviseurs. Vous aurez une vision complète de la circulation. *(pour)*
3. N'oubliez pas d'attacher votre ceinture. Vous démarrez. *(avant)*
4. Pensez à reprendre la file de droite. Vous doublez. *(après)*
5. Assurez-vous. Vous êtes toujours maître du véhicule.
6. Vérifiez que vos phares sont éteints. Vous vous garez. *(après)*

1. ....

2. ....

3. ....

4. ....

5. ....

6. ....

8 Le gérondif, le participe présent et l'adjectif verbal

❯ Pour donner des précisions, une explication
❯ Pour donner un conseil
❯ Pour formuler des regrets, un reproche

❯ Pour décrire un lieu
❯ Pour formuler une hypothèse
❯ Pour exprimer une cause

A Le gérondif

On emploie le gérondif pour exprimer :

la simultanéité de deux actions	Il rêvait **en regardant** le ciel. Elle a eu un malaise **en se levant**.
la manière de faire quelque chose	Il a fait le tour du monde **en marchant**.
la cause	Il s'est blessé **en courant** trop vite.
l'hypothèse	**En prenant** ce chemin, je découvrirai / je découvrirais / j'aurais découvert de beaux paysages.

1 **Voici des extraits de roman. Complétez avec les verbes au gérondif pour donner des précisions.**

1. « Que voulez-vous ? » demanda-t-il en levant *(lever)* la tête et ....

(menacer) de la main les deux hommes.

2. « Bien sûr, » répondit-elle .... *(sourire)* et ....

(le fixer) droit dans les yeux.

3. « Peut-être. » murmura-t-il .... *(réfléchir)* et ....

(détourner) le regard.

4. « C'est impossible ! » cria-t-il .... *(s'énerver)* et ....

(frapper) sur la table.

5. « Aline ! » appelèrent-ils .... *(la reconnaître)* et ....

(se précipiter) vers elle.

6. « Non, non, s'il vous plaît, pas ça ! » dit-elle .... *(se mettre)* à pleurer et

.... *(s'asseoir)* à côté de lui.

7. « Rien n'est sûr ?» avez-vous demandé, ... *(se retourner)* et

.... *(se diriger)* vers la porte.

8. « C'est comme ça », dis-je .... *(mettre)* mon chapeau et .... *(s'en aller)*.

9. « D'accord », chuchota-t-elle .... *(baisser)* la tête et

.... *(s'approcher)*.

2 **Remplacez les éléments soulignés par un gérondif pour préciser les circonstances de l'accident.**

Ex. : Il s'est brûlé quand il a allumé la cheminée.

→ Il s'est brûlé en allumant la cheminée.

1. C'est pendant qu'il faisait du ski qu'il s'est cassé le bras.

→ C'est .... du ski qu'il s'est cassé le bras.

2. Nous avons failli nous noyer quand nous avons essayé de faire du surf.

→ Nous avons failli nous noyer .... de faire du surf.

3. C'est quand ils ont voulu escalader un arbre qu'ils ont déchiré leurs vêtements.

→ C'est .... escalader un arbre qu'ils ont déchiré leurs vêtements.

4. Elles sont tombées au moment où elles sont descendues de l'échelle.

→ Elles sont tombées .... de l'échelle.

5. Elle s'est fait une bosse quand elle s'est cognée contre le mur.

→ Elle s'est fait une bosse .... contre le mur.

6. Je me suis coupé quand je me suis rasé.

→ Je me suis coupé ....

7. Ils ont été renversés pendant qu'ils traversaient une rue.

→ Ils ont été renversés .... une rue.

3 **Une journaliste interroge des aventuriers sur leurs exploits. Complétez les réponses avec les éléments de la liste et le gérondif pour donner une explication.**

1. *J'économisais l'eau* et je me déplaçais la nuit.

2. Nous avons fait de petits boulots et nous avons logé chez l'habitant.

3. J'ai pêché et je me suis rationné.

4. Nous avons marché jour et nuit et nous avons peu dormi.

5. J'ai fait appel à des sponsors et j'ai vendu l'exclusivité de mes photos.

1. Comment avez-vous résisté à la soif pendant votre traversée du désert ?

→ En économisant l'eau et ....

2. Comment avez-vous pu faire le tour du monde sans argent ?

→ ....

3. Comment avez-vous survécu seul sur cette île ?

→ ....

4. Comment avez-vous réussi à faire ce trajet en si peu de temps ?

→ ....

5. Comment avez-vous financé la traversée de l'Antarctique ?

→ ....

4 **Cochez les phrases qu'il est possible de transformer avec le gérondif. Écrivez des hypothèses.**

Ex. : Si je téléphonais, j'aurais plus de chance.

→ En téléphonant, j'aurais plus de chance.

> Le sujet du verbe conjugué est le même que celui qui fait l'action du verbe au gérondif.
> **Ex. :** *En voyageant, tu t'épanouirais.*

☐ **1.** Si on anticipait, on pourrait respecter les délais.

→ ....

☐ **2.** Si vous acceptiez, je m'inscrirais.

→ ....

☐ **3.** S'il appelle, il aura tout de suite l'information.

→ ....

☐ **4.** Si je me reposais plus, je serais en forme.

→ ....

☐ **5.** Si nous nous concentrions mieux, nous réussirions.

→ ....

☐ **6.** Si elles venaient, vous seriez heureux ?

→ ....

5 **Complétez les hypothèses avec un gérondif pour conseiller sur les manières de s'enrichir.**

Ex. : Si tu mises sur « Croquetout », tu gagneras beaucoup d'argent !

→ En misant sur « Croquetout », tu gagneras beaucoup d'argent !

1. S'il investit dans notre société, il doublera son capital.

→ .... , il doublera son capital.

2. Si tu réussis cette vente, tu t'enrichiras !

→ .... , tu t'enrichiras !

3. Si elle gère bien son budget, elle deviendra millionnaire !

→ .... , elle deviendra millionnaire !

4. S'ils placent bien leur argent, ils feront fortune !

→ .... , ils feront fortune !

5. Si tu revends tes actions maintenant, tu risques de tout perdre !

→ .... , tu risques de tout perdre !

6. Si vous suivez bien mes conseils, vous paierez moins d'impôts.

→ .... , vous paierez moins d'impôts.

6 a. **Associez les éléments des deux colonnes.**

1. Si vous aviez pris cette route, •   • a. si vous aviez mieux connu la ville.

2. Tu aurais été moins seul •   • b. je serais arrivée à temps.

3. Vous ne vous seriez pas perdue •   • c. nous nous serions mieux fait comprendre.

4. Si on était partis ensemble, •   • d. si nous avions réservé à l'avance.

5. Si je m'étais dépêchée, •   • e. on serait arrivés en même temps.

6. Nous aurions payé moins cher •   • f. vous auriez eu moins de circulation.

7. Si nous avions parlé espagnol, •   • g. si tu avais accepté de la compagnie.

b. **Réécrivez les phrases de la partie a. avec un gérondif pour formuler des regrets et des reproches.**

Ex. : En prenant cette route, vous auriez eu moins de circulation !

1. ....

2. ....

3. ....

4. ....

5. ....

6. ....

7 **Écrivez les hypothèses avec un gérondif pour donner des conseils pour une vie saine.**

Vous seriez en forme,

Ex. : si vous choisissiez un rythme de vie régulier.

→ en choisissant un rythme de vie régulier.

1. si vous aviez un régime plus équilibré.

→ ....

2. si vous faisiez de la gymnastique.

→ ....

3. si vous dormiez suffisamment.

→ ....

4. si vous mangiez suffisamment de fruits et de légumes.

→ ....

5. si vous saviez contrôler vos émotions.

→ ....

B ▌ Le participe présent

Le participe présent est principalement utilisé à l'écrit :

pour accompagner un nom ou un pronom complément et remplacer une subordonnée relative avec *qui*	Je connais très peu de mots français **commençant** par « w » mais j'en connais beaucoup **commençant** par « y ». (= qui commencent)
pour remplacer une subordonnée de temps	**Répondant** aux questions qu'on lui posait, le ministre a confirmé l'information. (= quand il a répondu)
pour remplacer une subordonnée de cause	**Ne pouvant pas** partir, j'ai laissé ma place à mon frère. (= parce que je ne pouvais pas partir)

(!) On utilise une forme composée avec l'auxiliaire *avoir* ou *être* au participe présent + participe passé pour exprimer une antériorité. **Ex.** : *Je connais une personne **ayant fait** (= qui a fait) le tour du monde.* Le choix de l'auxiliaire et l'accord du participe passé suivent les mêmes règles que pour les temps composés, voir chapitre 1. *Les temps du passé.* **Ex.** : *Étant arrivée en retard, elle n'a pas pu entrer.*

8 **Voici des extraits d'un récit de voyage. Réécrivez les phrases en remplaçant les propositions relatives par des participes présents pour décrire le lieu.**

Ex. : J'allais poursuivre ma route quand je remarquai un panneau qui indiquait « Auberge de pèlerins » et qui invitait à contourner l'édifice.

→ J'allais poursuivre ma route quand je remarquai un panneau indiquant « Auberge de pèlerins » et invitant à contourner l'édifice.

1. Je revois notre groupe sur le sentier qui longeait la forêt et qui menait à la frontière.

→ ....

2. Pour arriver au sommet de la colline, il fallait prendre une route qui serpentait au milieu de la forêt et qui enjambait une rivière.

→ ....

....

3. Je me souviens parfaitement de ce petit chemin qui faisait le tour du château et qui conduisait à l'entrée du village.

→ ....

....

4. Je me souviens de notre amie qui craignait d'arriver de nuit et qui se dépêchait par peur du noir.

→ ....

....

5. Il y avait des oiseaux qui volaient autour de nous et qui criaient sans arrêt.

→ ....

....

9 **Complétez ces informations avec un participe présent ou la forme composée pour donner des précisions.**

Ex. : Les passagers ayant *(qui ont)* un billet pour Madrid doivent se présenter porte B.

1. Les spectateurs .... *(qui ont déjà acheté)* leur ticket d'entrée peuvent s'installer dans la salle.

2. Le magasin n'accepte pas les clients .... *(qui ne font pas partie)* du groupe Privilège.

3. Les participants .... *(qui n'ont pas reçu)* de convocation sont priés d'attendre.

4. Les billets ne seront remboursés qu'aux visiteurs .... *(qui ne se sont pas trompés)* de date.

5. Les personnes .... *(qui ne sont pas inscrites)* ne peuvent pas assister à la conférence.

6. Les visiteurs .... *(qui n'ont pas réservé)* par Internet doivent prendre cette file d'attente.

7. Les passagers .... *(qui ne possèdent pas)* de passeport européens doivent passer de ce côté.

10 **Réécrivez ces extraits d'un roman policier avec la forme composée du participe.**

Ex. : L'homme a sorti le revolver de sa poche et a tiré.
→ Ayant sorti le revolver de sa poche, l'homme a tiré.

1. Après s'être battus et insultés, ils se sont enfuis.

→ ....

2. Le détective a poursuivi le malfaiteur et a découvert le butin.

→ ....

3. Les inspecteurs ont fouillé scrupuleusement et sont tombés sur des documents secrets.

→ ....

4. Une fois qu'elle est arrivée chez elle saine et sauve, elle a appelé la police.

→ ....

5. Les skieurs ont repéré des traces de sang dans la neige et ont contacté la gendarmerie.

→ ....

6. Après avoir plongé à plusieurs reprises dans le lac, les enquêteurs ont retrouvé un coffre.

→ ....

7. Je me suis aperçu de la disparition des bijoux, j'ai vite alerté les autorités.

→ ....

11 **Une adjointe au maire chargée de la vie étudiante écrit un mél à un centre de langues. Soulignez la forme correcte des participes et indiquez les deux formes ayant une valeur de cause.**

Madame, Monsieur,

Désirant / *Ayant désiré* inscrire à un cours d'été un groupe de jeunes étrangers *ne sachant pas* / *n'ayant pas su* **(1)** parler français couramment, je m'adresse à vous pour diverses informations. Il s'agit de jeunes gens qui, *étudiant* / *ayant étudié* **(2)** pendant plusieurs années, veulent se perfectionner. *Ayant suivi* / *Suivant* **(3)** le même cursus, ils ont maintenant le même niveau. Un séjour à Paris de quatre semaines les préparerait activement, leur *permettant* / *ayant permis* **(4)** de découvrir une nouvelle culture.

Ayant su / *Sachant* **(5)** que tous ces jeunes ont des besoins linguistiques similaires, pourriez-vous les regrouper dans un cours *prévoyant* / *ayant prévu* **(6)** aussi des heures de soutien individuel ?

Comptant / *Ayant compté* **(7)** sur une réponse rapide de votre part, je vous prie d'agréer, Madame, Monsieur, l'expression de mes salutations distinguées.

Valeur de cause : exemple, ...

12 **Réécrivez ces phrases avec le participe présent ou la forme composée pour exprimer la cause.**

Ex. : Je ne pourrai pas être là à l'heure puisque je sors à midi.
→ Sortant à midi, je ne pourrai pas être là à l'heure.

1. Comme vous n'avez pas de rendez-vous, vous devrez revenir.

→ ....

2. Il ne savait pas qu'il y avait un poste à pourvoir donc, il n'a pas posé sa candidature.

→ ....

3. Vu que les réunions politiques provoquaient des bagarres, elles ont été interdites.

→ ....

4. Étant donné que vous n'avez pas d'assurance, vous ne pourrez pas conduire.

→ ....

5. Je n'avais pas prévu ce retard par conséquent, je n'ai pas pu te prévenir.

→ ....

6. Il ne s'était pas renseigné alors il s'est perdu.

→ ....

7. Comme je ne me souvenais pas du chemin, je les ai appelés.

→ ....

8. Des heurts se sont produits, alors la police est intervenue.

→ ....

L'adjectif verbal

Certains participes présents sont devenus des adjectifs. Ils s'accordent avec le nom.
Il y a parfois une différence d'orthographe entre le participe présent et l'adjectif verbal.

	Participe présent	Adjectif verbal	Exemples
-ant → -ant	amusant	amusant(e)s	L'acteur dit des phrases **amusant** le public. C'est une fête **amusante**.
-ant → -ent	différant	différent(e)s	Elles achètent deux jupes **différant** de couleur. Ils portent des tenues **différentes**.
	précédant	précédent(e)s	Il n'a pas travaillé la semaine **précédant** son mariage. Ils ne sont pas partis en vacances l'année **précédente**.
	influant	influent(e)s	L'avocat parle avec conviction **influant** sur les jurés. Je connais une femme **influente**.
-quant → -cant	provoquant	provocant(e)s	Ils ont fait la fête **provoquant** du désordre dans la maison. Elle défie son adversaire de manière **provocante**.
-guant → -gant	fatiguant	fatigant(e)s	L'entraîneuse exige une acrobatie difficile **fatiguant** la gymnaste. Travailler la nuit est **fatigant**.
-geant → -gent	divergeant	divergent(e)s	Leurs analyses **divergeant**, ils n'ont pas trouvé d'accord. Les deux hommes ont des opinions **divergentes** sur l'origine de la crise.

13 **Complétez les phrases en remplaçant la proposition relative par un adjectif verbal.**

Ex. : Il avait les mains qui tremblaient.
→ Il avait les mains tremblantes.

1. Elle est entrée avec le cœur qui battait.

→ Elle est entrée avec le cœur ....

2. C'est une histoire qui émeut.

→ C'est une histoire ....

3. Je n'aime pas les personnes qui hésitent.

→ Je n'aime pas les personnes ....

4. Ils posent toujours des questions qui embarrassent.

→ Ils posent toujours des questions
....

5. Vous avez une directrice qui influence beaucoup de monde.

→ Vous avez une directrice ....

6. Tu fais des commentaires qui blessent.

→ Tu fais des commentaires ....

7. Tu as connu la collègue qui l'a précédé ?

→ Tu as connu la collègue .... ?

8. Il y a toujours des gestes qui énervent.

→ Il y a toujours des gestes ....

BILAN

1 🎧 14 **Écoutez et indiquez la forme entendue.**

	1	2	3	4	5	6	7	8	9	10
Gérondif										
Participe présent et forme composée										
Adjectif verbal										

2 **Voici des exemples de définitions du dictionnaire. Complétez avec le participe présent, le gérondif ou l'adjectif verbal.**

- **glisser**

  Les spectateurs admiraient les patineurs .... **(1)** avec légèreté.

  Après l'orage, les rues sont devenues très .... **(2)**.

  Ils sont tombés .... **(3)** sur la glace.

- **partir**

  .... **(4)** plus tôt de chez toi, tu n'arriverais pas toujours en retard.

  Tous les vacanciers .... **(5)** le même jour, il y a de nombreux embouteillages.

  Elles sont toujours .... **(6)** pour des sorties culturelles.

- **vieillir**

  Ce sont des acteurs .... **(7)**.

  On comprend mieux les choses .... **(8)**.

  Ma grand-mère .... **(9)** bien, on ne lui donne pas son âge.

- **provoquer**

  Ils tiennent souvent des propos .... **(10)**.

  Ce n'est pas .... **(11)** les gens qu'on obtient ce que l'on veut.

  .... **(12)** son auditoire, le conférencier a été hué.

- **différer**

  Vous pourriez payer moins cher .... **(13)** votre date de voyage.

  Nous avons des goûts très .... **(14)**.

  Leurs opinions .... **(15)** considérablement, ils ont arrêté leur coopération.

82 ◀

BILAN

3 Complétez les offres d'emploi avec un participe présent ou un gérondif.

<table>
<tr><td>

Recherchons

Un avocat .... (maîtriser) parfaitement le droit des affaires, ... (justifier) d'une expérience de 5 ans au minimum dans ce domaine, ... (pouvoir) se déplacer fréquemment à l'étranger et .... (savoir) parler couramment l'italien.

Pour ce poste .... (nécessiter) de nombreux déplacements, le permis de conduire est indispensable.

Vous pouvez poser votre candidature

.... **(se connecter) sur notre site :**

www.omercando.com.

</td><td>

Recherchons

Un interprète français-turc, ... (posséder) une bonne connaissance de la Turquie, ... (connaître) bien Istanbul et .... (avoir) une expérience dans le secteur automobile.

Poste .... (permettre) une rapide évolution et .... (s'adresser) à des personnes .... (ne pas craindre) les voyages fréquents.

.... **(postuler) à ce poste, vous vous engagez à signer un contrat de confidentialité.**

Je postule

</td></tr>
</table>

4 Complétez l'extrait d'un roman policier paru dans un magazine avec le participe présent ou le gérondif.

ROMAN Policier / Extrait

« – Allô, police ? Je vous téléphone car .... (rentrer) chez moi tout à l'heure, j'ai aperçu un homme .... (pénétrer) chez mes voisins par la fenêtre de derrière. Au début, j'ai pensé que c'était un simple voleur mais, ... (s'approcher), j'ai remarqué que c'était certainement un espion.

– Qu'est-ce qui vous fait dire ça ?

– .... (regarder) à travers la vitre, je l'ai vu .... (photographier) des documents.

– Mais où êtes-vous, là ?

– Je suis caché dans le jardin, je n'ose pas bouger car j'ai vu qu' .... (fouiller) dans le bureau, il avait trouvé un revolver.

– Comment est-il ?

– Il est grand, ... (mesurer) au moins 1,90 mètre avec une barbe grise.

– Donnez-nous l'adresse, on arrive.

– Oui mais .... (attendre), qu'est-ce que je fais ?

– Rien, surtout ne faites rien ! On arrive. »

9 Le discours indirect

❯ Pour rapporter les paroles de quelqu'un
❯ Pour demander des informations
❯ Pour donner des informations
❯ Pour raconter des événements

A Les transformations syntaxiques

On emploie le discours indirect pour rapporter des paroles.
On utilise un **verbe introducteur** *(dire, demander...)* suivi d'un **mot introducteur**.

Pour rapporter une phrase déclarative	**que** après des verbes introducteurs comme *dire, répondre, penser, croire*	Elle **explique que** son GPS ne fonctionne pas.
Pour rapporter une question totale	**si** après des verbes introducteurs comme *demander, vouloir savoir*	Elle lui **demande s**'il connaît l'avenue du Bois.
Pour rapporter une question avec *qu'est-ce qui* ou *qu'est-ce que*	**ce qui / ce que** après des verbes introducteurs comme *demander, expliquer, vouloir savoir*	Elle **veut savoir ce qu**'elle doit faire. **Expliquez-moi ce qui** vous gêne.
Pour rapporter une question avec *qui est-ce qui, qui est-ce que* ou avec une préposition + *qui*	**qui** ou **préposition + qui** après des verbes introducteurs comme *demander, expliquer, vouloir savoir*	Elle **veut savoir qui** est venu, **qui** nous avons invité, et **avec qui** nous partirons.
Pour rapporter une question avec un adverbe interrogatif	**quand, où, comment, pourquoi** après des verbes introducteurs comme *demander, expliquer*	Elle **se demande pourquoi** ses amis sont en retard et **quand** ils vont arriver.
Pour rapporter une phrase à l'impératif	**de / de ne pas + infinitif** après des verbes introducteurs comme *dire, conseiller, ordonner*	Il **dit** à la dame **de tourner** à droite avant le pont et **de ne pas se tromper** de rue.

1 🎧15 **Écoutez et indiquez si la phrase est au discours direct ou indirect.**

Ex. : « Je me demande si je sors ou non. »

	Ex.	1	2	3	4	5	6	7	8	9	10
Discours direct											
Discours indirect	✔										

2 **Associez les verbes introducteurs de même sens.**

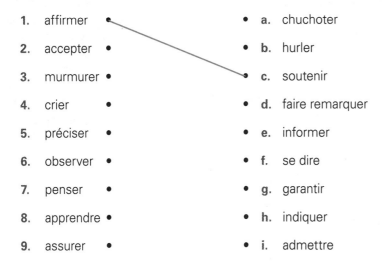

1. affirmer
2. accepter
3. murmurer
4. crier
5. préciser
6. observer
7. penser
8. apprendre
9. assurer

a. chuchoter
b. hurler
c. soutenir
d. faire remarquer
e. informer
f. se dire
g. garantir
h. indiquer
i. admettre

3 **Madame Roger rapporte à monsieur Levi les informations qu'elle a lues sur une affiche dans le hall de l'immeuble. Soulignez les verbes introducteurs.**

Il y a un long message dans le hall de l'immeuble avec plusieurs informations. Le propriétaire *prévient* / *conseille* qu'il y aura une coupure d'eau demain. Les responsables *proposent* / *précisent* **(1)** que les réparations risquent de durer toute la journée. Et ils *indiquent* / *affirment* **(2)** ce qu'il faut faire en cas de problème. Par ailleurs, ils *demandent* / *font remarquer* **(3)** de bien fermer les portes, ils *interdisent* / *disent* **(4)** de signaler toute personne étrangère à l'immeuble car ils *supposent* / *se demandent* **(5)** qu'il y a eu une tentative de cambriolage au premier étage. Enfin, ils *ordonnent* / *annoncent* **(6)** que le code d'entrée va être prochainement modifié et *admettent* / *garantissent* **(7)** que ce changement aurait dû intervenir plus tôt.

4 **Des amis s'informent sur un restaurant qu'on leur a conseillé. Écrivez leurs questions au discours indirect.**

Ex. : Est-ce que c'est un restaurant gastronomique ?
→ Je voudrais savoir si c'est un restaurant gastronomique.

1. Quand a-t-il été ouvert ?

→ Elle demande ....

2. Le cadre a l'air merveilleux.

→ Il fait remarquer ....

3. La cuisine présente une grande variété.

→ On nous assure ....

4. Qu'est-ce qui fait l'attrait de cet établissement ?

→ On s'interroge sur ....

5 **Deux amis répondent à un questionnaire de satisfaction après un voyage. Complétez leur dialogue.**

Ex. : Êtes-vous satisfait de votre séjour ?

1. Comment avez-vous pris contact avec nous ?

2. Nos services ont-ils répondu à vos attentes ?

3. Quelles suggestions avez-vous pour améliorer notre accueil ?

4. Acceptez-vous que nous mentionnions votre nom ?

5. Quels sont nos points forts ?

6. Recommanderiez-vous notre organisme ?

> Le discours indirect entraîne des changements de pronoms, d'adjectifs ou pronoms possessifs.
> **Ex. :** *Avez-vous aimé votre voyage ?* → *Il **nous** demande si **nous** avons aimé **notre** voyage.*

– Tu m'aides à répondre au questionnaire de satisfaction ?

– OK. Qu'est-ce qu'ils demandent ?

– Ils veulent savoir si nous sommes satisfaits de notre séjour,

.... **(1)**,

.... **(2)**,

.... **(3)**,

.... **(4)**,

.... **(5)**,

.... **(6)**.

– Bien. Répondons point par point…

6 **Les visiteurs du musée doivent respecter le règlement. Mettez dans l'ordre.**

Ex. : l'employé / de / au groupe / les sacs / entrer / avec / interdit
L'employé interdit au groupe d'entrer avec les sacs.

1. trop / pas / recommande / la guide / aux visiteurs / de / s'approcher / ne

....

2. on / si / voudrait savoir / toucher / les œuvres / c'est possible / de

....

3. photographier / un gardien / demande / ne / de / pas / les tableaux

....

4. sans flash / veut savoir / les photos / si / on / autorisées / sont

....

5. peut / ce / en photo / ne sait pas / on / que / prendre / on

....

6. précise / il / courir / aux enfants / ne / l'accompagnateur / que / pas / faut

....

B | Le discours indirect au passé

Quand le **verbe introducteur** est à un temps du passé, certains temps des phrases rapportées changent.

Discours direct	Transformation		Discours indirect
« La réunion **a lieu** à 9 heures et **se tiendra** en salle 3. On **aura fini** avant 13 heures. Tout le monde **a été prévenu** ? »	Présent → Imparfait Futur simple → Conditionnel présent Futur antérieur → Conditionnel passé Passé composé → Plus-que-parfait		Il **m'a dit** que la réunion **avait** lieu à 9 heures et qu'elle **se tiendrait** en salle 3. Il **a ajouté** qu'on **aurait fini** avant 13 heures. Il **a demandé** si tout le monde **avait été prévenu**.

(!) On change les expressions de temps ou de lieu si elles se réfèrent à un moment ou un lieu éloigné de l'énonciation. **Ex. :** *aujourd'hui* → *ce jour-là* ; *demain* → *le lendemain* ; *hier* → *la veille* ; *ce soir* → *ce soir-là* ; *en ce moment* → *à ce moment-là* ; *ici* → *là / là-bas*

7 **Soulignez la phrase rapportée correspondante.**

Ex. : « Je répondrai »   → il a dit *qu'il répondait* / *qu'il répondrait*

1. « Je répondrais »   → il a dit *qu'il répondait* / *qu'il répondrait*

2. « Je réponds »   → il a dit *qu'il répondait* / *qu'il avait répondu*

3. « Je vais répondre »   → il a dit *qu'il avait répondu* / *qu'il allait répondre*

4. « J'ai répondu »   → il a dit *qu'il avait répondu* / *qu'il répondrait*

5. « J'avais répondu »   → il a dit *qu'il répondait* / *qu'il avait répondu*

6. « Je viens de répondre » → il a dit *qu'il répondait* / *qu'il venait de répondre*

7. « J'aurai répondu »   → il a dit *qu'il aurait répondu* / *qu'il répondrait*

8. « Je répondais »   → il a dit *qu'il répondait* / *qu'il répondrait*

8 (16) **Écoutez ce que dit Arthur et cochez la phrase rapportée correspondante.**

Ex. : « Je finirai demain. »

	Ex.	1	2	3	4	5	6	7	8
Il a dit qu'il finissait.									
Il a dit qu'il aurait fini.									
Il a dit qu'il venait de finir.									
Il a dit qu'il avait fini.									
Il a dit qu'il allait finir.									
Il a dit qu'il finirait.	✔								

9 〔17〕 **Écoutez la conversation entre Sylvain et Marie. Complétez le message de Marie.**

Ex. : « J'appelle du Sénégal, je suis à Dakar. »

Salut, j'ai des nouvelles de Sylvain. Il m'a téléphoné et m'a dit qu'il *était* à Dakar. Il m'a expliqué

.... **(1)** avec Gaëlle et .... **(2)** à l'aéroport. Il a

ajouté .... **(3)** leurs amis qui vivent .... **(4)**,

et .... **(5)**, ... **(6)** jusqu'en Angola normalement.

10 **Voici le compte rendu de l'entretien entre des représentants du personnel et M. Turpin. Complétez le dialogue à partir du compte rendu. Pour les questions, utilisez *est-ce que*.**

M. Turpin s'est présenté rapidement et a expliqué qu'*il remplaçait* le directeur qui avait dû **(1)** s'absenter. Il nous a demandé si nous avions pris **(2)** une décision et si nous pensions **(3)** que notre **(4)** grève allait **(5)** continuer. Nous lui avons répondu que les discussions n'étaient pas **(6)** terminées et que nous devions **(7)** nous réunir à nouveau. Notre délégué, Étienne, a précisé qu'il restait **(8)** en contact avec la Direction et qu'il communiquerait **(9)** le résultat du vote en temps voulu.

M. Turpin : Bonjour, je remplace le directeur qui .... **(1)** s'absenter.

.... **(2)** une décision ? Et .... **(3)** que

.... **(4)** grève .... **(5)** continuer ?

Les syndicalistes : Les discussions .... **(6)** terminées et

.... **(7)** nous réunir à nouveau.

Étienne, le délégué : .... **(8)** en contact avec la Direction et

.... **(9)** le résultat du vote en temps voulu.

11 **Un client envoie un message à l'office de tourisme. Soulignez la forme correcte.**

Bonjour,

Je voudrais savoir si vous avez encore un chalet à louer pour les vacances de février. On m'a dit *ce qui / que* les appartements *seront / étaient* **(1)** souvent très petits dans votre station. Nous sommes un groupe de dix personnes et on m'a demandé *s' / qu'* **(2)** il *était / sera* **(3)** possible de trouver un logement spacieux et confortable. Dans une station proche de la vôtre, j'ai déjà tenté ma chance : un employé m'a répondu *ce qu' / qu'* **(4)** il ne *reste / restait* **(5)** rien de disponible. Il a ajouté *ce que / que* **(6)** ce *serait / sera* **(7)** difficile de trouver. Aurais-je plus de chance dans votre station ? Merci de me répondre très rapidement.

Cordialement.

12 **Amine a posté un message à Zoé pour lui raconter son voyage. Quelques jours plus tard, Zoé rapporte les informations à Luc. Complétez leur conversation.**

> S'il y a plusieurs phrases, on répète *que, si…* **Ex. :** *Elle dit* **que** *ce n'est pas grave et* **qu'**il *ne faut pas s'inquiéter.*

Coucou Zoé. Un bonjour d'Arménie ! Avec mes amis, on va **(1)** construire une école maternelle dans un village où nous sommes arrivés **(2)** hier **(3)**. C'est **(4)** un joli village et ici, **(5)** tout est **(6)** très calme et loin du monde. La mission durera **(7)** trois semaines et lorsque nous partirons **(8)**, les enfants auront **(9)** une classe toute neuve ! On est **(10)** dix volontaires, tous très motivés. Amine.

Luc : Tu as des nouvelles d'Amine ?

Zoé : Oui ! Il a envoyé un message la semaine dernière ! Il m'a dit qu'avec ses amis, ... **(1)** construire une école maternelle dans un village où .... **(2)** .... **(3)**. Il m'a raconté .... **(4)** un joli village et, ... **(5)**, tout .... **(6)** très calme et loin du monde. Il a ajouté .... **(7)** trois semaines et que, lorsqu' .... **(8)**, les enfants .... **(9)** une classe toute neuve ! Il a précisé .... **(10)** dix volontaires, tous très motivés.

13 **Estelle rapporte les paroles de son père sur un forum. Complétez.**

Ex. : D'où tu viens ?

1. Pourquoi tu rentres si tard ?
2. Qu'est-ce que tu as fait ?
3. Avec qui est-ce que tu étais ?
4. Où est-ce que tu es allée ?
5. Pourquoi tu ne nous préviens jamais quand tu sors ?
6. Est-ce que je pourrai encore te faire confiance ?
7. Comment est-ce que tu es rentrée ?
8. Qui est-ce qui t'a raccompagnée ?

Mon père est curieux, c'est terrible ! Il me pose toujours des tas de questions. Hier soir, j'ai eu le malheur de rentrer après minuit, et ça a été un vrai drame ! Il m'a demandé d'où je venais,

....

....

....

....

....

....

....

14 **Fabien rapporte les propos de la présentatrice du bulletin météo entendus le matin à la radio. Complétez.**

La présentatrice de la météo a annoncé que le temps allait radicalement changer, que l'hiver s'éloignait **(1)** et qu'il ferait **(2)** de plus en plus doux, notamment sur les Alpes. Elle a d'ailleurs rappelé aux skieurs qu'ils devaient **(3)** être très prudents et qu'il ne fallait pas qu'ils fassent **(4)** du ski hors-piste, en raison des risques d'avalanches. La présentatrice de la météo a également précisé que les régions méditerranéennes, qui n'avaient pas reçu **(5)** de pluie depuis plusieurs semaines, s'inquiétaient **(6)** de la sécheresse. Elle a enfin déclaré que, grâce à un nouveau système satellite, les prévisions météorologiques pourraient **(7)** maintenant être faites six jours à l'avance.

La présentatrice : Le temps va radicalement changer, l'hiver .... **(1)**

et il .... **(2)** de plus en plus doux, notamment sur les Alpes.

Mesdames et messieurs les skieurs, attention, ... **(3)**

être très prudents, ... **(4)** du ski hors-piste, en raison des risques

d'avalanches. Les régions méditerranéennes, qui .... **(5)** de pluie

depuis plusieurs semaines, ... **(6)** de la sécheresse. J'ai le

plaisir de vous annoncer que, grâce à un nouveau système satellite, les prévisions météorologiques

.... **(7)** maintenant être faites six jours à l'avance.

15 **Un journaliste rapporte les propos de l'actrice Isabelle Janida. Complétez.**

Le journaliste : Isabelle, que pensez-vous de votre rôle dans ce film ?

Isabelle Janida : J'ai eu beaucoup de plaisir à jouer ce rôle, j'ai été marquée par mon personnage. Je dois dire que j'ai même eu souvent du mal à m'endormir !

Le journaliste : Vous avez d'autres projets ?

Isabelle Janida : Non, je n'ai pas d'autres projets pour le moment, cela me permettra de me reposer !

Le journaliste : Et après ?

Isabelle Janida : J'ai des projets plus lointains. Je vais collaborer à une mise en scène, ce sera la première fois. J'aurai aussi un tournage en Afrique, mais rien n'est encore définitif, je ne veux rien dévoiler !

Le journaliste : Je vous remercie, Isabelle.

Isabelle Janida nous a accueillis chaleureusement dans son appartement de la rue Vivienne et nous

avons parlé de son dernier film. Elle a souligné .... **(1)** beaucoup de

plaisir à jouer ce rôle et .... **(2)** par son personnage. Elle a reconnu

.... **(3)** du mal à s'endormir. J'ai voulu savoir .... **(4)**

d'autres projets. L'actrice a répondu .... **(5)** d'autres projets pour le

moment et .... **(6)** de se reposer. Elle a tout de même indiqué

.... **(7)** des projets plus lointains. Elle nous a confié ....

.... **(8)** à une mise en scène, ... **(9)** la première fois. Elle a

également précisé .... **(10)** aussi un tournage en Afrique, mais ....

.... **(11)** encore définitif et .... **(12)** dévoiler.

BILAN

1 **Alain et Franck parlent de leur ami Marc. Complétez leur conversation.**

– Franck, tu sais si Marc est passé ce matin ?

– Oui, on m'a dit qu'il .... **(1)** très tôt. Et moi, je l'ai rappelé à 10 heures.

– Il va repasser aujourd'hui ?

– Normalement oui, il m'a prévenu qu' .... **(2)** dans l'après-midi.

– Et il a reçu les photos ?

– Oui, il m'a dit qu'il les .... **(3)**.

– Super ! Et elles sont comment ?

– Écoute, j'ai cru comprendre qu' .... **(4)** bonnes.

– J'ai hâte de les voir ! Il les apportera ?

– J'espère ! En tout cas, il a ajouté qu' .... **(5)**.

– Il rapportera aussi le dossier « Orange », j'espère.

– Oui, oui, il m'a promis de .... **(6)**.

– Pourvu qu'il n'oublie pas !

2 **Franziska téléphone à son amie Jeanne pour lui annoncer son départ au Pérou. Jeanne appelle Carl pour lui annoncer la nouvelle. Complétez leur conversation.**

– Allô Jeanne, c'est Franziska. Je vais partir **(1)** en mission humanitaire au Pérou, dimanche !

– Ah bon ?! Raconte !

– Eh bien, Mathilde, mon amie qui vit **(2)** à Bruxelles, part **(3)** pour la quatrième fois et elle m'a proposé **(4)** de partir avec eux ! C'est une aventure qui me tente **(5)** depuis longtemps… Avec l'équipe, nous avons lancé **(6)** une page de financement participatif pour notre **(7)** projet. Consulte notre **(8)** site sur la mission à Andahuaylas, dans les Andes. Parles-en à Carl **(9)**. Aidez-nous **(10)** un peu si vous le pouvez **(11)**.

Jeanne : Allo, Carl ! Franziska m'a téléphoné : elle part au Pérou !

Carl : Ah ?! En vacances ?

Jeanne : Non, pas du tout ! Elle m'a dit .... **(1)** en mission

humanitaire au Pérou dimanche. Elle m'a expliqué que Mathilde, ... **(2)** à Bruxelles

.... **(3)** pour la quatrième fois et .... **(4)** de partir avec eux.

Je savais .... **(5)** depuis longtemps. Elle m'a dit qu'avec

l'équipe, ils .... **(6)** une page de financement participatif pour .... **(7)**

projet. Elle m'a invitée .... **(8)** site sur la mission à Andahuaylas, dans les

Andes. Elle m'a dit .... **(9)**. Et elle nous a demandé .... **(10)**

un peu si .... **(11)**.

3 Clara discute avec son ami Adrien d'un entretien d'embauche. Elle rapporte cette discussion sur son blog. Complétez.

Adrien : Alors, cet entretien, ça s'est bien passé ?

Clara : C'est difficile à dire parce que, parfois, on te pose des questions bizarres !

Adrien : Ah bon, qu'est-ce qu'on t'a demandé ?

Clara : D'abord des choses classiques du genre : « Quels sont vos points forts ? », « Comment est-ce que vous nous avez connus ? », « Qu'est-ce qui vous intéresse dans ce poste ? », « Qu'est-ce que vous ferez dans dix ans ? », « Quelles sont vos prétentions salariales ? », etc. Et puis des choses du style : « Qui est-ce qui vous a appris à faire du vélo ? », « Que cherchez-vous dans la vie ? », « Quelle est la couleur de votre âme ? », « Qu'est-ce qui se passerait si le soleil ne brillait plus ? », « Est-ce que vous vous marierez ? », etc.

Adrien : C'est normal, ce sont des questions de psychologues !

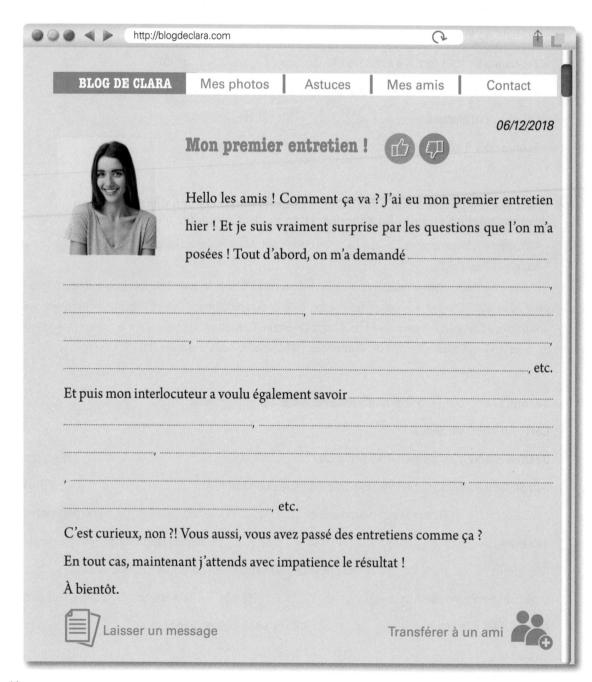

🌐 http://blogdeclara.com

BLOG DE CLARA | Mes photos | Astuces | Mes amis | Contact

06/12/2018

Mon premier entretien ! 👍 👎

Hello les amis ! Comment ça va ? J'ai eu mon premier entretien hier ! Et je suis vraiment surprise par les questions que l'on m'a posées ! Tout d'abord, on m'a demandé _____ ,

_____ ,

_____ ,

_____ , etc.

Et puis mon interlocuteur a voulu également savoir _____ ,

_____ ,

_____ , etc.

C'est curieux, non ?! Vous aussi, vous avez passé des entretiens comme ça ?

En tout cas, maintenant j'attends avec impatience le résultat !

À bientôt.

📄 Laisser un message   Transférer à un ami 👥

Les conjonctions de temps **10**

❯ Pour informer sur un moment, une durée

❯ Pour informer sur un événement

❯ Pour situer un événement dans le temps

❯ Pour raconter des faits passés

A L'expression de la simultanéité

Les faits exprimés dans la proposition principale se passent en même temps que ceux de la subordonnée. Les verbes sont à l'indicatif.

quand lorsque	Les faits ont lieu en même temps.	**Quand / Lorsque** je travaille au bureau, j'envoie beaucoup de méls.
au moment où **le jour / l'année / le soir où**	Les faits sont précisément simultanés.	Il m'a appelé **au moment où** je prenais l'ascenseur.
chaque fois que **toutes les fois que**	Les faits se répètent en même temps.	Il me dit « bonjour » **chaque fois** qu'il me rencontre !
au fur et à mesure que **à mesure que**	Les faits évoluent sur une même durée.	**Au fur et à mesure** que le travail avance, je découvre des choses intéressantes.
pendant que **alors que** **tandis que**	Les faits se déroulent en même temps, souvent sur une même durée.	Je compléterai le tableau **pendant que** tu feras la traduction. Il a fait la traduction **alors que** je complétais le tableau.
tant que **aussi longtemps que**	Les faits se déroulent sur une même durée.	**Tant que** l'ambiance sera bonne au bureau, je garderai ce travail.

(!) *Alors que* et *tandis que* comportent une nuance d'opposition.

1 Soulignez les expressions de temps correctes pour informer sur un événement.

Ex. : J'emménagerai *chaque fois que* / <u>quand</u> les rénovations seront faites.

1. Tu dois payer deux mois de loyer *au moment où* / *aussi longtemps que* tu signes le contrat de location.

2. *Le jour où* / *Au fur et à mesure que* je vivrai seule, je me sentirai plus indépendante.

3. J'aménagerai la maison *lorsque* / *pendant que* j'aurai l'argent.

4. *Alors que* / *Tant que* nous installions les meubles, il y a eu une panne de courant.

5. *Au moment où* / *À mesure que* j'ai quitté mon premier studio, j'ai été triste.

6. Nous t'hébergerons *quand* / *tant que* tu ne pourras pas déménager.

7. Toutes les pièces ont été repeintes *tandis que* / *au fur et à mesure* j'étais en vacances.

8. *Au fur et à mesure que* / *Pendant que* les pièces étaient prêtes, on a fait la décoration.

9. On louera une place de parking *aussi longtemps qu'* / *à mesure qu'*on habitera ici.

2 Un chroniqueur judiciaire raconte le déroulement d'un procès. Complétez les phrases avec *quand*, *chaque fois que* ou *pendant que*.

Ex. : Le public a vivement protesté à l'arrivée de l'accusé. *(arriver)*
→ Le public a vivement protesté quand l'accusé est arrivé.

1. À l'entrée de la Cour, l'assemblée s'est levée. *(entrer)*

→ .... , l'assemblée s'est levée.

2. Les jurés ont été très attentifs pendant le déroulement du procès. *(se dérouler)*

→ Les jurés ont été très attentifs ....

3. À chaque question du juge, l'accusé a gardé le silence. *(le questionner)*

→ L'accusé a gardé le silence ....

4. Les débats ont été suspendus à chaque intervention du public. *(intervenir)*

→ Les débats ont été suspendus ....

5. Pendant la délibération du jury, la salle a été évacuée. *(délibérer)*

→ .... , la salle a été évacuée.

6. À l'annonce du verdict, l'accusé a réagi violemment. *(annoncer)*

→ .... , l'accusé a réagi violemment.

3 Voici des extraits d'interviews de sportifs. Réécrivez les phrases.

Ex. : À l'entrée dans le stade, on est toujours impressionné. *(quand)*
→ Quand on entre dans le stade, on est toujours impressionné.

1. J'ai fait une chute, je passais la ligne d'arrivée. *(au moment où)*

→ ....

2. Je marquais des points, mon adversaire s'énervait. *(au fur et à mesure que)*

→ ....

3. La saison n'est pas terminée, il faut garder espoir. *(tant que)*

→ ....

4. À ma montée sur le podium, le public s'est levé. *(lorsque)*

→ ....

5. Il a marqué un but, l'arbitre allait siffler la fin de la rencontre. *(alors que)*

→ ....

6. Pendant le déroulement du match, les spectateurs applaudissaient sans arrêt. *(pendant que)*

→ ....

7. À la sortie des joueurs, tout le monde était debout. *(quand)*

→ ....

B L'expression de la postériorité

Les faits exprimés dans la proposition principale se passent après ceux de la subordonnée. Les verbes sont à l'indicatif ; le verbe de la subordonnée est souvent à un temps composé pour marquer l'antériorité.

après que **une fois que** **quand** **lorsque**	Les faits se succèdent.	**Après qu**'on a eu des nouvelles rassurantes de nos amis, on a pu se détendre.
dès que **aussitôt que**	Les faits se succèdent rapidement.	On préviendra leur famille **aussitôt qu**'on aura reçu des nouvelles.
depuis que **maintenant que** **à présent que**	Les faits ont un point de départ précis et se prolongent.	On était inquiets **depuis qu**'ils étaient partis. **Maintenant qu**'ils nous ont appelés, ça va mieux !

⚠ *Depuis que, maintenant que* et *à présent que* apportent une nuance de cause.

4 **Soulignez les conjonctions de temps correctes pour informer sur un événement.**

Ex. : *Lorsqu'il* / *Dès qu'* / *Depuis qu'* il l'a vue, il s'est mis à trembler.

1. *Dès qu'* / *Aussitôt qu'* / *Après qu'* il lui parle, elle rougit.

2. Nous serons soulagés *une fois qu'* / *depuis qu'* / *lorsqu'* il aura téléphoné.

3. Il est devenu furieux *dès que* / *quand* / *à présent que* les gens se sont moqués de lui.

4. Sa mère est très inquiète *maintenant qu'* / *dès qu'* / *depuis qu'* il possède une voiture.

5. Nous nous sommes excusés *aussitôt que* / *maintenant que* / *lorsque* nous avons eu compris notre erreur.

6. Elle s'est évanouie *après qu'* / *maintenant qu'* / *dès qu'* on lui a annoncé la nouvelle.

5 **Leila raconte son installation en province. Complétez les phrases comme dans l'exemple.**

Ex. : À l'annonce de notre départ en province, les enfants ont protesté. *(dès que)*
→ Dès qu'on leur a annoncé notre départ en province, les enfants ont protesté.

1. En écoutant nos explications, ils se sont calmés. *(après que)*

→ .... , ils se sont calmés.

2. À l'arrivée dans leur nouvelle école, ils ont trouvé de nouveaux copains. *(une fois que)*

→ .... , ils ont trouvé de nouveaux copains.

3. J'ai découvert la ville après notre installation. *(après que)*

→ J'ai découvert la ville ....

4. Depuis notre emménagement à Nantes, nous sommes tous moins stressés. *(depuis que)*

→ .... , nous sommes tous moins stressés.

5. La maison est grande, on pourra inviter les amis. *(à présent que)*

→ _____ , on pourra inviter les amis.

6. On a fait des travaux. On se plaît bien. *(maintenant que)*

→ On se plaît bien _____

6 **Voici des informations parues dans la presse. Réécrivez les phrases comme dans l'exemple avec *après* + infinitif passé pour situer l'événement dans le temps.**

Si les deux verbes ont le même sujet, on peut utiliser *après* + infinitif passé à la place de *après que* + indicatif. **Ex. :** *Après avoir remis les médailles (= **après qu**'il a remis les médailles), le maire a reçu les journalistes.*

Ex. : Les voleurs ont passé deux mois en prison et après ils ont été jugés.

→ Après avoir passé deux mois en prison, les voleurs ont été jugés.

1. Le jury du festival a longtemps hésité, puis il a annoncé sa décision.

→ _____

2. Les étudiants ont été reçus par le ministre et après ils ont mis fin à la grève.

→ _____

3. Les ministres ont échangé longtemps puis ils se sont mis d'accord.

→ _____

4. Le champion a passé deux mois immobilisé et après il a repris la compétition.

→ _____

5. L'autoroute est restée plusieurs mois en travaux, maintenant elle est rouverte à la circulation.

→ _____

6. L'actrice s'est posé beaucoup de questions puis elle a accepté le rôle.

→ _____

C L'expression de l'antériorité

Les faits exprimés dans la proposition principale se passent avant ceux de la subordonnée.
Les verbes de la subordonnée sont au subjonctif présent ou passé.

avant que	Les faits se succèdent.	J'ai acheté les billets **avant que** vous arriviez.
en attendant que **jusqu'à ce que** **d'ici à ce que**	Les faits se succèdent. Il y a une limite dans le futur.	Prenons un café **en attendant que** le guichet ouvre. Je suis restée **jusqu'à ce qu**'ils sortent. Je resterai là **d'ici à ce que** tu sois revenu.

(!) On commence rarement une phrase par *jusqu'à ce que*.
Jusqu'à ce que et *d'ici à ce que* ne s'utilisent pas dans un contexte passé.

7 **Un enseignant donne des conseils avant un examen. Soulignez les formes correctes.**

> Si les deux verbes ont le même sujet, on utilise *avant de / en attendant de* + infinitif à la place de *avant que / en attendant que* + subjonctif. **Ex. :** *Avant d'entrer / En attendant d'entrer, on discute du prochain film à voir.*

Ex. : Pensez à éteindre votre portable *avant d' / après / jusqu'à* entrer dans la salle.

1. *En attendant de / Avant que* l'examen commence, prenez de longues inspirations.

2. Concentrez-vous *avant de / en attendant qu'* on vous distribue les documents.

3. Réfléchissez *d'ici à ce que / jusqu'à ce que* vous ayez bien compris le sujet.

4. Notez vos idées *à mesure qu' / avant qu'* elles vous viennent à l'esprit.

5. *Avant de / Avant que* rédiger, vérifiez bien la cohérence de votre plan.

6. Relisez votre copie *en attendant que / jusqu'à ce que* vous soyez sûrs de vos réponses.

7. Et *d'ici à ce que / avant de* vous ayez les résultats, restez confiants !

8. Ne parlez pas aux autres candidats *au moment où / avant que* le surveillant ait ramassé toutes les copies.

8 **Voici des informations données dans un aéroport ou dans un avion. Complétez les phrases avec *avant de, avant que* ou *jusqu'à ce que*.**

Ex. : Vérifiez vos bagages, ils seront fouillés.
→ Vérifiez vos bagages avant qu'ils soient fouillés.

1. Attendez ici, on va vous appeler.

→ Attendez ici ....

2. Les passeports seront contrôlés, vous allez monter dans l'avion.

→ Les passeports seront contrôlés ....

3. Gardez vos valises avec vous, votre carte d'embarquement vous sera remise.

→ Gardez vos valises avec vous ....

4. Attachez votre ceinture avant le décollage de l'avion.

→ Attachez votre ceinture ....

5. Lisez les listes de films proposés et vous faites votre choix.

→ Lisez les listes de films proposés ....

6. Gardez vos téléphones éteints jusqu'à l'atterrissage de l'avion.

→ Gardez vos téléphones éteints ....

7. Restez assis jusqu'à l'arrêt de l'appareil.

→ Restez assis ....

8. Assurez-vous de ne rien oublier, vous allez descendre.

→ Assurez-vous de ne rien oublier ....

BILAN

1 🎧 **18** **Écoutez et soulignez l'expression de temps qui a le même sens que celle entendue.**

1. aussi longtemps qu' / depuis qu'

2. au fur et à mesure qu' / aussitôt qu'

3. quand / jusqu'à ce que

4. d'ici à ce que / à présent que

5. en attendant que / avant que

6. jusqu'à ce que / pendant que

7. quand / maintenant qu'

8. pendant qu' / tant qu'

2 **Voici des informations sur la circulation routière d'une ville.**
Entourez la conjonction correcte.

1. Le nombre des accidents a diminué *depuis que / tant que* la limitation de vitesse existe.

2. Il est interdit d'utiliser le téléphone portable *au fur et à mesure qu' / lorsqu'*on conduit.

3. Certains conducteurs sont plus prudents *après qu' / tandis qu'* ils ont été verbalisés.

4. *À présent qu' / D'ici à ce qu'* une voie a été ajoutée, la circulation est plus fluide.

5. Ce carrefour restera dangereux *en attendant qu' / aussi longtemps qu'* on n'aura pas installé de stop.

6. *Toutes les fois que / Aussitôt que* le tram fonctionnera, on ne prendra plus la voiture.

7. On ne peut pas traverser le centre-ville *maintenant que / jusqu'à ce que* les travaux soient terminés.

8. *Depuis qu' / Tant qu'* il y a des pistes cyclables, beaucoup de conducteurs ont abandonné la voiture.

3 **Noëmie donne la recette de la tarte au chocolat. Soulignez l'expression de temps correcte.**

Pendant que / Avant que **(1)** vous préparez la pâte sablée, mettez le chocolat à cuire au bain-marie à feu doux *jusqu'à ce qu' / tandis qu'* **(2)** il soit bien fondu.

Aussitôt que / Après **(3)** avoir ajouté les œufs un à un dans le chocolat fondu, tournez doucement, puis plus vite *au fur et à mesure que / en attendant que* **(4)** vous versez la farine.

Laissez reposer la préparation une heure ou deux.

Avant d' / Pendant **(5)** étaler la pâte, n'oubliez pas de bien beurrer votre plat. Mettez votre plat quelques minutes au four, mais retirez-le *depuis que / dès que* **(6)** la pâte est un peu dorée.

Quand / D'ici à ce que **(7)** la préparation a refroidi, vous pouvez en garnir la pâte. Lissez bien *jusqu'à ce que / aussi longtemps que* **(8)** la pâte soit complètement recouverte et mettez votre tarte au four.

Au moment où / Jusqu'à ce que **(9)** vous sortez le plat du four, vérifiez la cuisson de la tarte avec un couteau et démoulez-la tout de suite.

Depuis que / En attendant que **(10)** j'ai découvert cette recette, je l'ai beaucoup partagée ! Cette tarte est inratable, délicieuse et *jusqu'à ce que / chaque fois que* **(11)** je la propose, je suis sûre de faire plaisir !

4 **Complétez l'article avec les conjonctions de temps pour raconter des faits passés.**

au moment où • aussi longtemps que • aussitôt que • au fur et à mesure que • avant que

---

BRÈVES

CATASTROPHE EN MER

Le pétrolier *Sonia* a fait naufrage

.... il passait près des

côtes sud. Le capitaine a envoyé

un signal de détresse ....

il a constaté la panne. Mais son navire coulait ....

.... l'eau entrait dans

les cales. Heureusement, l'équipage a pu quitter

le bateau ....

celui-ci disparaisse dans la mer. ....

....

des bateaux en mauvais état navigueront,

des catastrophes nous menaceront.

N. M. ■

---

5 **Voici le tract d'un groupe d'écologistes. Complétez avec les notes qui ont été prises par son représentant.**

1. Réveillons-nous, il sera trop tard. *(avant que)*
2. Les hommes ne respectent plus la Terre, tout se dégrade. *(depuis que)*
3. L'alarme a sonné, il faut réagir. *(maintenant que)*
4. La sécheresse s'étend, économisons l'eau. *(alors que)*
5. L'air est pollué, évitons de circuler en voiture. *(tant que)*
6. Les industries accepteront de s'engager, alors un espoir naîtra. *(quand)*
7. Nos enfants grandissent. Enseignons-leur les bons gestes. *(Au fur et à mesure que)*

Halte à la pollution !

Réveillons-nous .... !

....

...., tout se dégrade !

...., il faut réagir !

...., économisons l'eau !

Évitons de circuler en voiture ....

...., un espoir naîtra.

Enseignons à nos enfants les bons gestes ....

....

C'est pour leur avenir, pour l'avenir de NOTRE planète !

---

11 L'hypothèse et la condition

❯ Pour formuler une hypothèse
❯ Pour formuler des regrets, un reproche
❯ Pour se justifier

❯ Pour exprimer une possibilité
❯ Pour exprimer une condition
❯ Pour faire une comparaison

A L'hypothèse avec *si*

Si + présent + présent / futur / impératif

L'hypothèse est située dans le futur. L'action envisagée peut se réaliser.	si + présent	présent futur impératif	S'il **se présente**, je **vote** pour lui. Je **serai** content si ce candidat **est élu**. Si vous **voulez** du changement, **votez** pour lui !

1 **Des vacanciers font des projets. Conjuguez les verbes au présent ou au futur pour formuler une hypothèse.**

Ex. : S'il fait *(faire)* beau et chaud, nous dormirons *(dormir)* sur la terrasse.

1. On .... *(comprendre)* mieux les gens du pays visité si on ....

(apprendre) leur langue.

2. Si nous .... *(ne pas dépenser)* tout notre argent, nous ....

(s'offrir) un bon hôtel.

3. Tu me .... *(faire visiter)* la ville si tu la .... *(connaître)* bien.

4. Si vous .... *(s'inscrire)* aux activités du club, vous ....

.... *(ne pas s'ennuyer)*.

5. Il est évident que, s'ils .... *(prendre)* l'avion, ils ....

(profiter) plus longtemps de leur séjour.

6. Naturellement, nous vous .... *(accueillir)* avec plaisir si votre emploi du

temps vous le .... *(permettre)*.

Si + imparfait + conditionnel présent

• **L'hypothèse est située dans le présent.** L'action envisagée ne peut pas se réaliser. • **L'hypothèse est située dans le présent ou le futur.** L'action envisagée est réalisable.	si + imparfait + conditionnel présent	S'il **pouvait**, il **démissionnerait**. Si un jour tu **devenais** Président, que **ferais**-tu ?

2 **Des personnes veulent s'améliorer à l'oral. Écrivez leurs hypothèses avec les éléments proposés.**

Ex. : je (avoir le courage / s'inscrire à un cours de théâtre)

→ Si j'avais le courage, je m'inscrirais à un cours de théâtre.

1. je (être plus à l'aise / ne pas rougir en public)

→ ....

2. vous (réfléchir un peu / ne pas dire de bêtises)

→ ....

3. on (ne pas avoir le trac / prendre la parole)

→ ....

4. nous (oser / poser des questions)

→ ....

5. ils (ne pas avoir peur / intervenir sans hésitation)

→ ....

6. elle (s'exprimer mieux / avoir davantage confiance)

→ ....

3 **Mettez dans l'ordre pour formuler une hypothèse.**

Ex. : vous / la ville / si / et / vous / quittiez / trouviez / que / un travail

Si vous trouviez un travail et que vous quittiez la ville,
vous partiriez loin d'ici ?

> Lorsqu'il y a deux hypothèses, la deuxième est introduite par *et si* ou, en langue soutenue, par *que* + subjonctif présent ou passé. **Ex.** : *Si tu pouvais déménager* **et si tu** *en* **avais** *les moyens, tu irais où ?* = *Si tu pouvais déménager* **et que tu en aies** *les moyens, tu irais où ?*

1. si / à vendre / et / l'appartement / était / il / que / plaise / te

.... , je serais d'accord

pour l'acheter.

2. si / elle / et / que / ce quartier / elle / y / souhaite / aimait / emménager

.... , on l'aiderait.

3. ta cousine / si / venait / que / et / un hébergement / trouver / doive / elle

.... , elle pourrait

rester chez nous.

4. ils / cet été / déménageaient / que / si / je / et / en vacances / sois

.... , je les hébergerais volontiers.

5. si / intéressait / vous / que / ça / et / correspondent / nos dates

.... , on pourrait

échanger nos appartements.

Si + imparfait + conditionnel passé

L'hypothèse est située dans le présent. L'action envisagée ne s'est pas réalisée.	si + imparfait + conditionnel passé	Si elle **était** ministre, elle **aurait pu** agir. S'il **écoutait** plus les électeurs, il n'**aurait** jamais **proposé** cette loi.

4 **Un événement n'a pas pu avoir lieu. Réécrivez les phrases pour formuler des hypothèses.**

Ex. : Tu ne fais jamais attention. Tu n'a pas pris la bonne route.

→ Si tu faisais attention, tu aurais pris la bonne route.

1. On ne parle pas suédois. On n'a pas compris.

→ ....

2. Ils n'ont pas de diplômes. Ils n'ont pas pu postuler pour cet emploi.

→ ....

3. Elle est timide. Elle n'a pas pris la parole.

→ ....

4. Je porte des lunettes. Je n'ai pas pu devenir pilote.

→ ....

5. Il a le vertige. Il n'a pas accompagné ses amis en montagne.

→ ....

6. Vous ne savez pas conduire. Je ne vous ai pas prêté ma voiture.

→ ....

Si + plus-que-parfait + conditionnel présent / passé

L'hypothèse est située dans le passé. • L'action envisagée ne s'est pas réalisée : conditionnel passé. • Le présent est différent de celui envisagé : conditionnel présent.	si + plus-que-parfait + conditionnel passé / conditionnel présent	S'il **avait tenu** ses promesses, il **aurait été réélu**. La situation **serait** meilleure s'il **avait été élu**.

5 **Complétez ces déclarations de vacanciers avec le plus-que-parfait pour formuler des regrets ou un reproche.**

Ex. : Nous serions dans le train si la grève des transports s'était arrêtée. *(s'arrêter)*

1. Je serais sur la piste de ski si je .... *(ne pas avoir)* ce stupide accident.

2. Vous vous amuseriez avec nous si vous .... *(venir)* comme prévu.

3. On participerait à la course si elle .... *(ne pas être supprimé)*

4. Elle ferait la randonnée avec toi si elle .... *(ne pas danser)* toute la nuit.

5. Ils monteraient en télécabine si le système .... *(ne pas tomber)* en panne.

6. On irait jusqu'au sommet si l'accès .... *(ne pas être fermé)*.

6 **Alban et Maylis sont arrivés en retard à leur rendez-vous. Complétez le dialogue pour formuler un reproche et se justifier.**

– Je suis désolé, Yves, on est très en retard mais il y avait de la circulation.

– Oui, je vous avais prévenus ; si vous aviez suivi *(suivre)* mes conseils et si vous .... **(1)**

(prendre) l'autoroute, je suis sûr que vous .... **(2)** *(arriver)* plus tôt.

– Peut-être ! Mais si on .... **(3)** *(ne pas passer)* par la petite route, on

.... **(4)** *(ne pas traverser)* la jolie forêt de la Margeride ! Et puis,

on .... **(5)** *(ne pas s'arrêter)* dans le village de Desaignes, et on

.... **(6)** *(ne pas apporter)* ces marrons glacés ! Tiens, ils sont pour toi !

7 〔19〕 **Écoutez. Des personnes expriment des regrets sur leur scolarité. Faites comme dans l'exemple.**

Ex. : « J'aurais réussi mon concours si… »
avoir un point de plus → J'aurais réussi mon concours si j'avais eu un point de plus.

1. mieux préparé votre concours

→ ....

2. obtenir une bourse

→ ....

3. ne pas prendre de cours particuliers

→ ....

4. être attentif en cours

→ ....

5. se présenter dans les délais

→ ....

6. savoir l'importance de cette formation

→ ....

7. travailler davantage

→ ....

8. ne pas s'amuser sans arrêt

→ ....

8 **Écrivez des hypothèses comme dans l'exemple.**

Ex. : Gutenberg a sculpté des caractères en relief ; il a inventé l'imprimerie en 1454.

→ Si Gutenberg n'avait pas sculpté des caractères en relief, il n'aurait pas inventé l'imprimerie en 1454.

1. Christophe Colomb s'est dirigé vers l'ouest ; il est arrivé en Amérique en 1492.

→ ....

2. Newton a poursuivi ses recherches ; il a défini la loi de la gravitation universelle en 1684.

→ ....

3. James Cook a cherché le passage du Nord-Ouest ; il a découvert Hawaï en 1778.

→ ....

4. Alfred Nobel s'est rendu en Allemagne ; il a fait fortune en découvrant la dynamite en 1866.

→ ....

5. Des paysans chinois, en 1975, ont creusé un puits ; une armée de 6 000 soldats en terre cuite a été mise au jour.

→ ....

....

6. En 1991, deux randonneurs se sont promenés dans les Alpes ; ils ont aperçu une momie âgée de 5 300 ans.

→ ....

....

9 **Associez et formez des phrases qui expriment des regrets ou des reproches.**

> À l'oral, on peut juxtaposer deux verbes au conditionnel.
> **Ex. :** *Tu **aurais** le choix (= si tu avais le choix), tu **choisirais** quel candidat ?*

1. Je n'habiterais pas en ville,   •

2. On serait plus impliqués,   •

3. Tu aurais un emploi,   •

4. Son travail le lui aurait permis,   •

5. J'aurais eu des enfants,   •

6. Vous ne parleriez pas espagnol,   •

7. Il aurait été plus jeune,   •

•   **a.**   tu aurais acheté une voiture.

•   **b.**   vous ne seriez pas allé vivre à Cuba.

•   **c.**   elle aurait habité en province.

•   **d.**   on irait aider des populations malheureuses.

•   **e.**   je les aurais éduqués autrement.

•   **f.**   ils l'auraient engagé.

•   **g.**   j'aurais aimé vivre dans une maison isolée.

Les conjonctions formées avec *si*

même si	apporte une nuance d'opposition / de concession.	Elle serait venue au mariage **même si** elle n'avait pas été invitée.
sauf si **excepté si**	apportent une nuance de restriction.	Je vous accompagnerai, **sauf si** j'ai un problème.
comme si	exprime une comparaison avec un fait irréel.	Il me parle **comme si** j'étais stupide et **comme s'**il ne m'avait jamais vu(e) !

(!) Avec *même si*, *sauf si* et *excepté si*, les temps utilisés sont les mêmes qu'avec *si*.
Comme si s'utilise uniquement avec l'imparfait ou le plus-que-parfait.

10 **Des touristes se lancent à l'aventure. Réécrivez les phrases comme dans l'exemple.**

Ex. : Je n'ai pas d'hébergement, je pars quand même.
→ Même si je n'ai pas d'hébergement, je pars.

1. On l'empêcherait de voyager, il voyagerait quand même.

→ ....

2. On lui aurait proposé un hôtel de luxe, elle aurait quand même refusé.

→ ....

3. Vous êtes accompagné d'un guide, vous avez quand même peur.

→ ....

4. Mes amis adorent les découvertes, ils hésitent quand même à participer à l'expédition.

→ ....

5. Nous serions peu préparés, nous nous lancerions quand même à l'aventure.

→ ....

11 **Mettez dans l'ordre pour formuler une restriction.**

Ex. : cela / devriez / un peu de sucre / vous / est interdit / mettre / sauf si / vous
Vous devriez mettre un peu de sucre sauf si cela vous est interdit.

1. vraiment fade / ne / le plat / pas de sel / rajoute / excepté si / est / je

....

2. sauf si / prendra / on / des biscottes / du pain / il / reste

....

3. ce gâteau / n'aura pas besoin / excepté si / on / de recette / est difficile / à réussir

....

4. vous / des invités / de viande / achetez / recevez / pas / sauf si / ne

....

12 **Écrivez les phrases avec *comme si*.**

Ex. : tu n'es pas au courant / tu réagis

→ Tu réagis comme si tu n'étais pas au courant.

1. on a tous été informés / ils se sont adressés à nous

→ ....

2. c'est encore possible / elle a changé d'avis

→ ....

3. vous n'avez pas eu le temps / votre travail manque de rigueur

→ ....

4. elles connaissent tout le monde / elles sont à l'aise

→ ....

5. nous avons commis une grave erreur / vous nous critiquez

→ ....

6. vous n'êtes pas compétent / ils vous font des reproches

→ ....

B ▎ La condition

à condition que + subjonctif **à condition de** + infinitif	indique que la réalisation d'une action dépend de la réalisation d'une autre.	J'accepterais ce poste **à condition qu'**on m'en fasse la proposition.
au cas où + conditionnel **en cas de** + nom	expriment une possibilité.	**Au cas où** on te proposerait de changer de poste, tu accepterais ? **En cas de** refus, je serai déçu.
en supposant que **en admettant que** ⎱ + subjonctif **à supposer que**	expriment une condition qui a peu de chance de se réaliser.	Nous aurons une augmentation **à supposer que** nous travaillions plus.
à moins que + subjonctif **à moins de** + nom	expriment une restriction.	Je vous propose un rendez-vous à 15 h **à moins que** vous soyez occupé.
pour peu que + subjonctif	exprime une condition minimale suffisante.	**Pour peu qu'**il y ait une baisse des commandes, notre entreprise risque de fermer.
quand bien même + conditionnel	exprime une nuance d'opposition.	**Quand bien même** il accepterait de le voir, il serait déçu.
à défaut de + nom sans article	exprime un manque.	**À défaut de** concertation, on fera grève.

⚠ La condition peut être exprimée également avec le gérondif, voir chapitre 8. *Le gérondif, le participe présent et l'adjectif verbal.*

13 **Réécrivez les phrases avec *à condition que*.**

Ex. : Je te donne le numéro. *(mais tu ne le dis à personne)*

→ Je te donne le numéro à condition que tu ne le dises à personne.

1. Je veux bien vous montrer le message. *(si vous restez discrets)*

→ ....

2. Il accepte de nous raconter l'histoire. *(si nous ne la divulguons pas)*

→ ....

3. Ils veulent bien nous dire le nom du suspect. *(si nous ne le publions pas)*

→ ....

4. Elle vous apportera les photos. *(mais vous n'en ferez pas mention)*

→ ....

5. Je suis d'accord pour lui laisser lire le rapport. *(mais il ne le traduira pas)*

→ ....

6. Je lui ferai visiter le site. *(s'il vient seul)*

→ ....

7. On vous donne des précisions. *(mais vous ne les répétez pas dans votre article)*

→ ....

14 **Un groupe d'amis doit partir en week-end. L'un d'entre eux envoie un mél aux autres. Complétez les phrases avec *en cas de* ou *au cas où* pour exprimer une condition.**

Salut !

Prêts pour le départ demain ?!

On regardera sur le téléphone au cas où la météo annoncerait du mauvais temps. En tout cas, prenons

un imperméable .... **(1)** averses ! Et surtout, prévoyez des vêtements chauds

.... **(2)** forte baisse des températures ! En montagne, on ne sait jamais !

Mais en même temps, n'oubliez pas votre crème solaire .... **(3)** le soleil

taperait très fort ! Je pense qu'il faudrait demander l'aide d'un guide .... **(4)**

ce serait dangereux. Vous êtes d'accord ? Je regarde sur le site pour avoir un ou deux numéros. Au

fait, je vais préparer des sandwichs .... **(5)** nous ne trouverions pas de

restaurant ouvert. Je pense qu' .... **(6)** gros embouteillages sur l'autoroute,

on passera plutôt par la nationale.

Allez, bonne soirée, et à demain pour le départ à 7 heures précises !

15 **La famille Dalvet projette d'acheter une maison à la campagne. Complétez avec à *condition que*, à *condition de*, à *moins que* ou à *moins de*.**

> Si les deux verbes ont le même sujet, on peut utiliser *à condition de* + infinitif et *à moins de* + infinitif.
> **Ex. :** *Ils achèteront la maison à condition de vendre leur appartement.*

Nous achèterons cette maison de campagne :

Ex. : à condition que le propriétaire veuille bien baisser le prix,

1. .... les enfants ne l'aiment pas,

2. .... nous soyons sûrs d'en profiter,

3. .... ne pas obtenir le crédit de la banque,

4. .... il faille cinq heures pour y aller,

5. .... avoir le permis de construire une véranda,

6. .... les travaux de restauration soient trop importants,

7. .... toute la famille dise oui tout de suite !

16 **Béatrice et Gauthier font le programme de leur visite de la ville de Rennes. Ils expriment des conditions. Réécrivez les phrases.**

Ex. : Nous visiterons le Parlement de Bretagne même s'il y a beaucoup de monde. *(quand bien même)*
→ Nous visiterons le Parlement de Bretagne quand bien même il y aurait beaucoup de monde.

1. Ensuite on ira à l'opéra sauf si nous n'avons pas le temps. *(à moins que)*

→ ....

2. Dans ces petites rues étroites, si jamais il pleut, la circulation est bloquée. *(pour peu qu')*

→ ....

3. On pourra se promener dans les jardins du Thabor si tu as encore du courage ! *(au cas où)*

→ ....

4. Nous irons aussi au musée des Beaux-Arts si les travaux d'aménagement sont terminés. *(à supposer que)*

→ ....

5. On sera heureux de marcher dans les rues piétonnes sauf si tu es fatigué. *(à condition que)*

→ ....

6. Pour le trajet, nous contacterons un site de covoiturage si nous n'avons pas de places en TGV. *(à défaut de)*

→ ....

7. On mangera des fruits de mer si on trouve un bon restaurant. *(à condition de)*

→ ....

BILAN

1 **Anaïs et Nina préparent leur voyage en Asie. Complétez le dialogue avec *si, à condition que* ou *à moins que* pour formuler une hypothèse ou exprimer une condition.**

– Alors, ça tient toujours ce voyage en Asie ?

– Oui, _____ **(1)** nous obtenions des visas.

– _____ **(2)** on n'en a pas, on ne pourra pas partir ?

– Si, mais on ne pourra pas aller au Vietnam !

– Et c'est difficile d'obtenir un visa pour le Vietnam ?

– Non, _____ **(3)** on veuille y rester plus d'un mois.

– Donc, _____ **(4)** on veut y rester une semaine seulement, c'est possible ?

– Oui bien sûr, _____ **(5)** nous nous y prenions à l'avance. _____ **(6)** on fait la demande dès maintenant, on aura les visas rapidement.

– Bon, _____ **(7)** tu veux, je passe à l'ambassade demain, _____ **(8)** tu préfères y aller toi-même.

– Non, vas-y, je te donne mon passeport.

2 **Un chef de chantier organise son planning avec son assistante. Conjuguez les verbes pour exprimer des conditions.**

Je serai libre à 5 heures à supposer que je _____ **(1)** *(ne pas avoir d'imprévu)*. L'architecte ne sera pas à la réunion à moins que nous _____ **(2)** *(réussir)* à le prévenir. Notre rendez-vous est reporté à lundi sauf si les syndicats _____ **(3)** *(annoncer)* une nouvelle grève. Je préférerais la semaine prochaine excepté si cela _____ **(4)** *(ne pas vous convenir)*. La gestionnaire viendra avec plaisir à moins qu'elle _____ **(5)** *(avoir)* un empêchement. Pour peu qu'il _____ **(6)** *(pleuvoir)*, la visite du chantier devra être annulée. Nous prendrons une décision quand bien même il _____ **(7)** *(y avoir)* trop d'absents. Au cas où je _____ **(8)** *(être)* retardé, demandez à madame Chiche de me remplacer. Dites-lui que, même si, à un moment, elle _____ *(hésiter)* **(9)**, elle fait comme s'il _____ *(ne pas y avoir)* **(10)** de problème. Je lui fais confiance. Dès mon retour, nous ferons le point ensemble à moins que la gestionnaire _____ *(ne toujours pas être)* **(11)** disponible. Vous savez que vous pouvez me joindre au cas où vous _____ *(en éprouver)* **(12)** le besoin !

BILAN

❸ Antoine conseille Corentin par texto sur sa demande d'augmentation. Conjuguez les verbes au temps correct pour formuler des hypothèses et exprimer des conditions.

.ıll 🛜	**9:35**	84 % ▭
◀ Messages	**Antoine**	Envoyer

> Alors, je lui demande une augmentation ou non à mon patron ?

>> Écoute, si tu ne lui .... *(demander)* rien, il ne te donnera rien.

> Et si je lui demandais seulement une prime, ça .... *(passer)* mieux ? Peut-être qu'il me l'............................ *(accorder)* !

>> Tu sais, s'il .... *(vouloir)* t'offrir une prime, il l'aurait déjà fait, il .... *(ne pas attendre)* que tu lui demandes.

> Tu vois, si j'avais une augmentation de 3 % seulement, je .... *(ne plus avoir)* ces éternels problèmes d'argent.

>> Et au cas où il .... *(refuser)* de t'augmenter ou de te donner une prime ?

> Je .... *(démissionner)* ! Je veux bien rester, mais à condition seulement d'............................ .... *(être mieux payé)*.

❹ Un stagiaire répond à un questionnaire de satisfaction. Réécrivez ses commentaires avec les éléments proposés.

Questionnaire de satisfaction

Intérêt du stage Les échanges ont été assez nombreux, ils sont restés superficiels. *(même si)*

→ ....

Qualités de l'animateur L'animateur était trop directif, on ne pouvait pas s'exprimer. *(si)*

→ ....

Objectif Nous aurions pu prendre une décision, mais nous manquions d'information. *(à condition de)*

→ ....

Participation Je n'ai pas pris la parole car je n'avais pas de chiffres précis. *(à défaut de)*

→ ....

Avis général Je recommanderai ce stage si l'organisation est améliorée. *(à condition que)*

→ ....

Les relations logiques : la cause, la conséquence, le but | 12

❯ Pour donner une explication

❯ Pour exprimer une cause

❯ Pour exprimer une conséquence

❯ Pour exprimer l'intensité

❯ Pour justifier un fait

❯ Pour exprimer un but, une intention, un objectif

A L'expression de la cause

Les prépositions

à cause de + nom / pronom	La cause est négative.	Nos vacances sont gâchées **à cause de** la pluie.
grâce à + nom / pronom	La cause est positive.	**Grâce à** mes conseils, elle a fait une expérience unique.
sous prétexte de + nom / infinitif	La cause donnée est contestée par le locuteur.	Il reste dans sa chambre **sous prétexte de** fatigue. **Sous prétexte de** ne pas avoir le temps, vous avez refusé de venir.
par manque de + nom sans article **faute de** + nom sans article / infinitif	La cause est une restriction.	On fait peu de visites **par manque de** temps. Tu ne fais pas de randonnées **faute d'**énergie.
compte tenu de **du fait de** **en raison de** + nom **étant donné** **vu**	La cause est incontestable.	On sort peu **compte tenu du / du fait du / étant donné le / vu le** nombre de touristes.
à force de + nom sans article / infinitif	La cause se répète.	On a fini notre travail **à force de** patience. On a pu faire ce voyage **à force de** faire des économies.
par + nom sans article	La cause est un sentiment.	Vous ne voyagez pas **par** paresse.
pour + nom / infinitif passé	La cause comporte un motif de satisfaction ou d'instisfaction.	Le gîte a été fermé **pour** des questions de sécurité. Il est connu **pour** avoir parcouru le monde seul.
à la suite de **suite à** + nom	Le fait dont on parle en explique un autre (langue commerciale, administrative).	**Suite aux** intempéries, l'hôtel est fermé jusqu'à nouvel ordre.

(!) La cause peut être exprimée avec le gérondif ou le participe présent, voir chapitre 8. *Le gérondif, le participe présent et l'adjectif verbal.*

1 **Un journaliste a pris des notes pour rédiger un article sur les transports en commun. Soulignez la forme correcte.**

Ex. : Certains quartiers se vident de leurs habitants *à force de* / *par manque de* transports en commun.

1. C'est une ligne très appréciée *grâce au* / *à force de* confort des rames.

2. Les tarifs augmentent *du fait des* / *faute de* coûts de maintenance.

3. *Compte tenu de* / *Pour* la fréquence des trains, le nombre de voyageurs transportés augmente.

4. Des gens refusent de prendre le métro *par* / *sous prétexte d'*être dérangés.

5. La circulation est ralentie *en raison d'* / *à force d'* une coupure de courant.

6. *À cause des* / *Par manque des* incidents entre voyageurs, les contrôles se multiplient.

2 **Mettez dans l'ordre.**

Ex. : le journal / faute de / des / connaît / lecteurs / difficultés financières
Le journal connaît des difficultés financières faute de lecteurs.

1. a été / à la suite de / le reporter / son témoignage / fortement / critiqué

2. se connecter / câblé / peuvent / réseau / par manque de / ne / certains habitants / pas

3. des abonnés / à force de / les mêmes / perd / traiter / le magazine / sujets

4. une bonne / ses programmes / ne / sous prétexte de / la chaîne / pas / audience / varie

5. auditeurs / contestable / de nombreux / un reportage / la station / très / a perdu / à cause de

6. financement / a disparu / faute de / cette émission

3 **Complétez avec les éléments de la liste.**

grâce à • à cause de (× 2) • faute de • vu • ~~vu~~ • à force de • sous prétexte de

Ex. : Vu mon niveau en mathématiques, j'ai raté mon examen.

1. Il a réussi .... ses bonnes notes en histoire.

2. Vous avez échoué .... la philosophie : vous avez eu 4 sur 20.

3. Je n'ai pas pu répondre à toutes les questions .... temps.

4. Elle n'a pas terminé sa dissertation .... mal de tête, mais est-ce vrai ?

5. Il a obtenu tous ses diplômes .... persévérance.

6. Je ne pourrai pas me présenter à ce concours .... mon âge.

7. Vous n'êtes pas sûr de continuer vos études .... problèmes financiers ?

4 **Une psychologue prend des notes sur ses patientes.**

1. Vu son égoïsme,

2. Du fait de son courage,

3. Étant donné sa sincérité,

4. En raison de ses grosses colères,

5. Grâce à sa gentillesse,

6. Par manque de courage,

7. Compte tenu de ses changements d'avis,

a. elle n'a pas osé.

b. elle est devenue capricieuse.

c. on la croit sur parole.

d. elle aide souvent les autres.

e. elle est souvent seule.

f. elle est rejetée par les autres.

g. elle a surmonté ses difficultés.

5 **Complétez ces informations avec *pour* ou *par*.**

Ex. : Il est très connu pour sa gentillesse.

Par + nom indique que la raison d'une action est un sentiment. *Pour* + nom indique un motif de satisfaction ou d'insatisfaction (= *à cause de* / *grâce à*).

1. Elle agit souvent .... curiosité.

2. Ils ont été félicités .... leur bonne conduite.

3. On n'ose pas toujours parler .... timidité.

4. Il a été remercié .... l'aide qu'il a apportée.

5. Elles ont été critiquées .... leur indifférence.

6. Ils préfèrent ne pas répondre .... peur de se tromper.

6 **Écrivez les phrases avec *pour* et *faute de* + infinitif passé pour exprimer une cause.**

Ex. : Il a été condamné parce qu'il n'avait pas respecté la limitation de vitesse.

→ Il a été condamné pour ne pas avoir respecté la limitation de vitesse.

→ Il a été condamné faute d'avoir respecté la limitation de vitesse.

1. Elle a reçu une forte amende car elle n'avait pas payé le stationnement.

→ ....

→ ....

2. On a été pénalisés parce qu'on n'est pas allés au rendez-vous.

→ ....

→ ....

7 🎧20 **Écoutez et soulignez l'expression de la cause équivalente à celle que vous entendez.**

Ex. : « Le trafic est perturbé sur la ligne 13 en raison du malaise d'un voyageur. »

→ <u>étant donné</u> / grâce à

1. À force de / À la suite de

2. Compte tenu de / Par

3. sous prétexte de / à cause de

4. vu / pour

5. Grâce à / Par manque de

6. Étant donné / À force de

7. Vu / Suite à

8. du fait / grâce au

Les conjonctions

parce que **car** } + indicatif	La cause est formulée.	Une augmentation de salaire a été décidée **car** les résultats de l'entreprise sont excellents.	
comme + indicatif **puisque** + indicatif	La cause est connue.	**Comme** les résultats sont excellents, une augmentation de salaire a été décidée. **Puisque** les résultats sont bons, l'entreprise va pouvoir recruter.	
compte tenu que **du fait que** **étant donné que** **vu que** } + indicatif	La cause est incontestable.	La grève est annulée **étant donné que** la direction et les syndicats sont d'accord.	
sous prétexte que + indicatif	La cause donnée est contestée par le locuteur.	Il n'est pas venu à la réunion **sous prétexte qu**'il n'avait pas été informé.	
d'autant plus que **d'autant moins que** } + indicatif	La cause est renforcée par un élément supplémentaire.	Les salariés sont **d'autant moins** motivés **que** leur avenir dans l'entreprise est très compromis.	
si..., c'est que	La cause est mise en valeur.	**Si** la grève est annulée, **c'est que** la direction est prête à négocier.	

(!) *Parce que* est généralement placé en seconde partie de la phrase. *Car* est toujours placé en seconde partie de la phrase. *Comme* est toujours placé en début de phrase.

8 **Madame Bonnet explique la situation professionnelle de son couple. Soulignez les réponses correctes.**

Ex. : J'ai été licenciée <u>car</u> / comme / <u>parce que</u> la société a fait faillite.

1. *Puisque / Car / Vu que* l'entreprise était en difficulté, on m'a demandé de partir.

2. *Sous prétexte que / Vu que / Comme* j'ai cherché activement, j'ai réussi à retrouver un emploi.

3. J'ai été embauchée *parce que / comme / puisque* j'ai d'excellents diplômes.

4. Mon compagnon a pu changer de métier *du fait qu' / comme / parce qu'* il a validé son stage informatique.

5. Son licenciement n'est pas justifié *vu que / du fait que / sous prétexte que* l'entreprise fait des bénéfices.

9 **Des personnes s'expriment sur leurs troubles du sommeil. Associez.**

1. J'ai du mal à rester éveillé toute la journée

2. Vous buvez beaucoup de café

3. Tu essaies dès maintenant de changer de rythme

4. On a toujours un livre à côté de nous

5. Je me couche toujours très tard

6. Si tu prends des somnifères

a. du fait que tu vas bientôt changer de vie, à la naissance de ton bébé.

b. parce que ça vous aide à mieux travailler la nuit.

c. sous prétexte que j'ai peur de ne pas m'endormir.

d. c'est que tu veux éviter les nuits blanches.

e. compte tenu qu'on est sujets aux insomnies.

f. vu que je ne dors jamais plus de quatre heures par nuit.

10 **Réécrivez les phrases avec *d'autant plus... que* et *d'autant moins... que* pour exprimer la cause d'une situation.**

Ex. : Elle a eu beaucoup de chance d'obtenir son visa. Le délai était dépassé.
→ Elle a eu d'autant plus de chance d'obtenir son visa que le délai était dépassé.

1. On a été déçus de ne pas partir. On avait tout préparé.

→ ....

2. Je n'aime pas partir à l'étranger. J'ai peur de l'avion.

→ ....

3. Il n'a pas envie de se rendre dans ce pays. Il y fait froid.

→ ....

4. Ce voyage est mémorable. Il nous a permis de rencontrer des gens fantastiques.

→ ....

11 **Voici des informations sur la vie électorale en France. Réécrivez les phrases.**

Ex. : Le président a obtenu la majorité des voix, il a été élu. *(vu que)*
→ Vu que le président a obtenu la majorité des voix, il a été élu.

1. Manu ne va pas voter, il a perdu sa carte d'électeur. *(si... c'est que)*

→ ....

2. Vous votez par correspondance, vous résidez à l'étranger. *(étant donné que)*

→ ...., vous votez par correspondance.

3. Les résultats risquent d'être mauvais, les sondages sont catastrophiques. *(compte tenu que)*

→ Les résultats risquent d'être mauvais ....

4. N'oublie pas de me laisser ta procuration. Tu seras absent *(puisque)*

→ ...., n'oublie pas de me laisser ta procuration.

5. Ils n'ont pas de programme précis ; ils tardent à se lancer. *(sous prétexte que)*

→ Ils tardent à se lancer ....

6. Ce député n'a pas été réélu ; il n'a pas obtenu la majorité absolue. *(du fait que)*

→ ...., ce député n'a pas été réélu.

7. La consultation est reportée, il y aurait eu des fraudes. *(sous prétexte que)*

→ La consultation est reportée ....

B L'expression de la conséquence

Les mots de liaison

c'est pourquoi donc alors de ce fait d'où + nom ce qui explique + nom ce qui explique que c'est pour ça / cela que } + indicatif	donnent une explication.	Il a triché, **donc / alors / de ce fait**, il est disqualifié. L'arbitre a fait une erreur **d'où** la colère de la joueuse. Il a manqué un geste très simple **ce qui explique** son énervement. Il pleut, **c'est pour ça que** je m'ennuie.
du coup	exprime une conséquence inattendue. Surtout utilisé à l'oral.	Le capitaine était blessé, **du coup** le gardien de but est devenu leader de l'équipe.

12 **Soulignez la forme correcte pour indiquer la conséquence d'une action.**

Ex. : Il fait un régime très strict <u>au point de</u> / *du coup* négliger sa santé.

1. Je ne m'entraîne pas *ce qui explique que* / *d'où* je n'ai pas été sélectionné.

2. Il n'a pas réfléchi à sa stratégie *du coup* / *d'où* il a échoué.

3. On prend assez de repos, *c'est pour ça qu'* / *d'où* on est en pleine forme.

4. Il a protesté *d'où* / *c'est pourquoi* il a été sanctionné.

5. Nous restons solidaires *de ce fait* / *ce qui explique* notre succès.

6. Ils ne remportent pas assez de compétitions *d'où* / *c'est pourquoi* ils n'espèrent pas de médaille.

7. Il a menacé un joueur de l'équipe adverse *de ce fait* / *d'où* son exclusion du terrain.

8. Il veut devenir le meilleur, *d'où* / *donc* il fait beaucoup d'efforts.

9. Le terrain était gelé *d'où* / *alors* le report du match.

13 **Réécrivez les phrases pour exprimer une conséquence.**

Ex. : Il est parti sans me prévenir, du coup, je me suis mise en colère. *(d'où)*

→ Il est parti sans me prévenir d'où ma colère.

1. Le voyage a été retardé. Elle n'a pas encore prévenu de son arrivée. *(ce qui explique que)*

→ ....

....

2. Vous risquez de rater une bonne occasion car vous n'avez pas pris votre décision. *(de ce fait)*

→ ....

....

3. Nous sommes face à un choix difficile parce que nos objectifs ont changé. *(donc)*

→ ....

....

4. Personne ne l'a rassurée, c'est pour cela qu'elle est inquiète. *(d'où)*

→ ....

....

5. Il faut que je prévienne mes amis parce que j'ai décidé de rester. *(alors)*

→ ....

....

Les conjonctions

de (telle) façon que de (telle) manière que de (telle) sorte que si bien que } + indicatif	introduisent une conséquence logique.	Les travaux sont terminés **de (telle) sorte que** nous pourrons emménager bientôt. Nous avons tout fait refaire **si bien que** la maison nous semble neuve.

14 **Mettez dans l'ordre.**

Ex. : de nombreux postes / les crédits / de sorte que / ont été supprimés / ont diminué

Les crédits ont diminué de sorte que de nombreux postes ont été supprimés.

1. les comptes / la nouvelle loi / si bien que / ont été rejetés / est très contraignante

....

2. de telle façon que / des bénéfices / l'entreprise / ont été réalisés / a embauché

....

3. les clients / si bien que / se raréfient / a modifié / le magasin / ses horaires d'ouverture

....

4. sont vraiment élevés / les coûts / est désastreux / de sorte que / le bilan financier

....

5. les affaires / si bien que / le patron / une nouvelle agence / sont bonnes / va ouvrir

....

L'expression de l'intensité

au point que **à tel point que** } + indicatif	indiquent un moment à partir duquel la réalisation est possible.	Le système électrique est ancien **au point qu**'il faut entièrement le changer.
si / tellement + adjectif + **que** + indicatif		Le terrain est **si grand qu**'on installe une piscine.
verbe + **tant / tellement +****que** + indicatif	indiquent l'intensité de la conséquence.	Vous hésitez **tant que** vous n'arrivez pas à vous décider.
tant / tellement de + nom + **que** + indicatif		Ils ont **tant de** projets **qu**'ils ne savent pas se décider.
trop (de) / (pas) assez (de)**pour que** + subjonctif	quantifient la conséquence.	Tu n'économises **pas assez pour que** tes rêves soient réalisables.
trop (de) / (pas) assez (de)**pour** + infinitif		Ils ont **assez** économisé **pour** réaliser tous leurs rêves.

15 **Voici des situations difficiles dans un musée. Réécrivez les phrases avec *si... que,* *tant de... que* ou *tellement que...* pour exprimer l'intensité de la conséquence.**

Ex. : Le nombre de visiteurs était très élevé au point que certains n'ont pas pu entrer.

→ Le nombre de visiteurs était si élevé que certains n'ont pas pu entrer.

1. Beaucoup de photos sont prises au point que cela perturbe les visites.

→ ....

2. Les informations sur les tableaux sont très petites à tel point qu'elles ne sont pas visibles.

→ ....

3. Nous avons reçu beaucoup de visiteurs à tel point que certaines œuvres ont été abîmées.

→ ....

4. Les visites sont vraiment très rapides au point que les visiteurs n'apprécient pas les tableaux.

→ ....

5. On se bouscule beaucoup devant les tableaux, la visite est désagréable.

→ ....

16 **Monsieur Bouni assiste à une conférence. Reformulez les phrases avec *(pas) assez pour que, (pas) assez pour, trop pour que* ou *trop pour* pour quantifier une conséquence.**

Ex. : Il y a trop de bruit. On ne comprend pas tout.
→ Il y a trop de bruit pour qu'on comprenne tout.

1. L'orateur ne parle pas assez fort. Je ne peux pas l'entendre.

→ ....

2. Je suis placé assez près de la scène. Je vois tous les intervenants.

→ ....

3. Le public est trop nombreux. Il n'y a pas suffisamment de places assises.

→ ....

4. Je suis trop intéressé par le sujet. Je ne vais pas quitter la salle.

→ ....

5. Les réponses sont assez précises. Elles expliquent tout.

→ ....

6. Les intervenants ne sont pas assez passionnés. Les spectateurs ne sont pas attentifs.

→ ....

17 **Réécrivez les phrases pour exprimer une conséquence.**

Ex. : C'est douloureux, je ne peux pas plier la jambe. *(si... que)*
→ C'est si douloureux que je ne peux pas plier la jambe.

1. Il a été transporté à l'hôpital. Il avait des difficultés respiratoires. *(à tel point que)*

→ ....

2. Elle peut reprendre ses activités. On lui a prescrit des antidouleurs. *(de telle façon que)*

→ ....

3. Ils se sont arraché la peau. Ils se sont grattés. *(tant... que)*

→ ....

4. Vous souffrez beaucoup. Le chirurgien va intervenir. *(assez pour que)*

→ ....

5. Ma cheville est enflée. On va me faire une radio. *(tellement... que)*

→ ....

6. Il avait trop mal. Il n'a pas pu appeler les secours. *(trop... pour)*

→ ....

C L'expression du but

pour que afin que } + subjonctif pour / afin de + infinitif	indiquent un objectif.	Je téléphone **pour qu'**il vienne. Je téléphone **pour** avoir une facture.
de manière (à ce) que de façon (à ce) que } + subjonctif de sorte que	indiquent une intention, un projet.	L'entreprise déménage **de sorte que** les frais soient moins élevés. Je prends rendez-vous **de façon à ce qu'**on vous réponde vite. On travaille **de manière à** bien vivre.
de manière à de façon à } + infinitif de sorte de		
dans l'intention de dans le but de } + infinitif		Ils travaillent plus **dans le but de** gagner plus.
en vue de + infinitif / nom		Je fais des heures supplémentaires **en vue d'**épargner, **en vue d'**un grand voyage.
de crainte que de peur que } + subjonctif de crainte de de peur de } + infinitif / nom	indiquent un but motivé par un sentiment de peur.	La direction fait des efforts **de crainte que** le personnel fasse grève. Ils acceptent les contraintes **de peur d'**être licenciés ou **d'**une perte d'avantages.

(!) *Pour* peut être suivi d'un nom.

---

18 **Des écologistes cultivent leur jardin. Mettez dans l'ordre.**

Ex. : enrichir / on / du compost / à / la terre / manière / de / fabrique
On fabrique du compost de manière à enrichir la terre.

1. les feuilles / vue / les / en / ramasses / brûler / de / tu

....

2. peur / mettent / un accident / elles / de / de / des gants

....

3. la qualité / ne / protéger / engrais chimiques / des plantes / de / je / pas / utilise / pour

....

4. eau / crainte / elle / de / un manque d' / de / arrose / ne / les fleurs / beaucoup / pas

....

5. manger / nous / but / sainement / de / cultivons / le / nos légumes / dans

....

6. intention / de la confiture / la / sauvages / dans / récoltez / de / les fruits / faire / vous

....

19 🎧 **21** **Écoutez le témoignage de voisins qui ont pris des mesures contre les cambriolages. Complétez avec la conjonction ou la préposition de but entendue.**

Ex. : Nous, on laisse les lumières allumées de façon à indiquer une présence.

1. Nous fermons les volets .... empêcher une effraction.

2. On a une alarme .... tout le voisinage soit alerté.

3. Mes voisins ont un chien .... effrayer les voleurs potentiels.

4. J'accueille un étudiant .... me sentir mieux protégée.

5. Mes parents mettent la radio .... faire croire que la maison est habitée.

6. Je cache mes objets de valeur .... on ne puisse pas les trouver.

7. Ma voisine n'a jamais d'argent chez elle .... être cambriolée.

20 **Le directeur réorganise la piscine municipale. Complétez les phrases pour justifier la nouvelle organisation.**

Ex. : Je vais embaucher du personnel : plus d'adhérents s'inscriront. *(de façon à ce que)*
→ Je vais embaucher du personnel de façon à ce que plus d'adhérents s'inscrivent.

1. L'entraîneur ajoute deux séances de préparation : le club peut participer à la finale. *(pour que)*

→ L'entraîneur ajoute deux séances de préparation ....

....

2. L'eau a subi deux contrôles : il y a encore des problèmes. *(de peur que)*

→ L'eau a subi deux contrôles ....

....

3. On modifiera les horaires : les familles pourront participer à toutes les activités. *(de manière que)*

→ On modifiera les horaires ....

....

4. Le montant de l'abonnement a baissé : la piscine est ouverte à tous. *(de sorte que)*

→ Le montant de l'abonnement a baissé ....

5. Les douches sont améliorées : les personnes en fauteuil vont venir facilement. *(de façon que)*

→ Les douches sont améliorées ....

....

6. On interdira les jeux de ballon : des enfants sont blessés. *(de crainte que)*

→ On interdira les jeux de ballon ....

21 **Complétez les phrases avec l'expression correcte :**

de peur de • pour que (× 2) • de manière à • dans l'intention de • ~~de peur que~~

Ex. : Elle m'a fait répéter mon texte, elle avait peur que je ne le sache pas.
→ Elle m'a fait répéter mon texte, de peur que je ne le sache pas.

1. Tu vas à d'autres séminaires car tu veux changer de sujet d'études.

→ Tu vas à d'autres séminaires ....

2. Je vais vous montrer, comme ça vous pourrez vous entraîner.

→ Je vais vous montrer ....

3. On l'a inscrit à tous les cours, il doit faire des progrès rapidement.

→ On l'a inscrit à tous les cours ....

4. Je ne l'ai pas averti parce que je ne veux pas l'affoler.

→ Je ne l'ai pas averti ....

5. En cours je suis toujours assis devant, je veux rester bien concentré.

→ En cours je suis toujours assis devant ....

22 **Des habitants parlent de leur logement. Choisissez entre la conjonction et la préposition pour justifier leur choix.**

Ex. : Je quitte le centre-ville. Je me rapproche ainsi de mon travail. *(afin de / afin que)*
→ Je quitte le centre-ville afin de me rapprocher de mon travail.

1. Ils refont leur studio à neuf. Comme ça, il sera vendu plus facilement. *(de manière à / de manière que)*

→ ....

2. Nous nous débarrassons d'objets inutiles. Il n'y aura pas assez de place dans le nouvel appartement. *(de peur de / de peur que)*

→ ....

3. On agrandit la cuisine. Comme ça, on pourra y prendre nos repas. *(de façon à / de façon à ce que)*

→ ....

4. Vous changez de quartier. Les commerces seront plus accessibles. *(de sorte de / de sorte que)*

→ ....

5. Tu loues ton appartement. Tu auras moins de soucis d'argent. *(afin de / afin que)*

→ ....

6. Il prend une colocation. Il ne vivra pas seul. *(de manière à / de manière que)*

→ ....

BILAN

1 🎧 *22* **Écoutez des commentaires sur les médias et indiquez s'ils expriment la cause, la conséquence ou le but.**

	1	2	3	4	5	6	7	8	9	10
Cause										
Conséquence										
But										

2 **Voici des informations sur le dérèglement du climat. Indiquez si le verbe est à l'indicatif (I) ou au subjonctif (S) et soulignez la conjonction de cause, de conséquence ou de but.**

Étant donné que le vent souffle (........) **(1)** en tempête, personne ne sort, si bien que la ville semble (........) **(2)** abandonnée. L'ouragan est trop menaçant pour qu'on essaie (........) **(3)** de sortir. Depuis huit jours, il pleut tellement que les rivières sortent (........) **(4)** de leur lit et inondent (........) **(5)** tout, à tel point que les habitants se regroupent (........) **(6)** de manière que les sinistrés se sentent (........) **(7)** moins seuls. Après l'ouragan, il faudra beaucoup de temps pour que la nature retrouve (........) **(8)** son état d'origine compte tenu qu'un arbre repousse (........) **(9)** en deux générations au moins ; c'est pour ça que, dans ma région, les paysans disent (........) **(10)** toujours, quand ils plantent un olivier, que c'est pour leurs petits-enfants.

3 **Réécrivez les informations de cette chronique judiciaire.**

1. Les indices sont insuffisants. Le voleur est toujours en fuite. *(compte tenu que)*

   → ....

2. Les recherches ont été accélérées. Le dossier doit être bouclé. *(de manière que)*

   → ....

3. Les circonstances du crime sont incertaines. L'enquête n'avance pas. *(étant donné que)*

   → ....

4. Les autorités n'agissent pas assez efficacement. Les violences augmentent. *(sous prétexte que)*

   → ....

5. La scène du vol a été interdite. Les empreintes seront effacées. *(de crainte que)*

   → ....

6. Le criminel n'a pas été recherché. La victime n'a pas porté plainte. *(vu que)*

   → ....

7. Le cambriolage a été très facile. On pense à un coup monté. *(au point que)*

   → ....

8. Les faits sont très graves. Il ne sera pas condamné à une faible peine. *(trop... pour que)*

   → ....

BILAN

4 Voici un article paru sur un site d'information. Soulignez la/les expression(s) correcte(s).

Les nouvelles quotidiennes | Actu | **Brèves** | Archives | Nous contacter

Publicité !

Depuis que la publicité existe, elle a beaucoup changé. Elle a pris une importance excessive *grâce au / sous prétexte du / à cause du* développement des médias, *au point qu' / trop pour qu' / assez pour qu'*il est impossible de vivre sans elle. Internet a évidemment renforcé son influence *si bien qu' / de peur qu' / de sorte qu'*il est impossible d'y échapper mais *à cause de / à force de / faute de* voir et d'entendre continuellement ces messages, sommes-nous toujours aussi influençables ? On aimerait parfois supprimer la publicité *afin que / de manière à ce que / de sorte que* nos villes puissent rester belles ou *afin de / de peur de / de façon à* pouvoir regarder une émission sans coupure. Mais *puisque / étant donné que / comme* cette situation est improbable, nous devons supporter ces mini courts-métrages. Parfois assez artistiques, il faut l'admettre. *Vu / Compte tenu de / Faute de* la concurrence, les agences doivent se montrer créatives. *C'est pourquoi / D'où / Ce qui explique qu'*elles demandent de plus en plus l'aide de réalisateurs de cinéma.

5 La tribune du journal local parle de la désertification des centres-villes.
Conjuguez les verbes à l'indicatif ou au subjonctif.

TRIBUNE / Emploi

Sauvons nos petits commerces !

Les responsables politiques doivent agir rapidement de peur que les commerces des centres-villes .... *(ne plus faire)* partie de la vie locale. Ces dernières années, les collectivités ont favorisé les grandes surfaces commerciales de sorte que beaucoup de magasins .... *(fermer)* et que les locaux .... *(ne pas être racheté)*. On attend que les politiques agissent de manière que les propriétaires .... *(avoir)* envie d'apporter un renouveau. Beaucoup de sites Internet proposent la commande et la livraison à domicile de façon que le consommateur .... *(ne plus sortir)* de chez lui. Les commerçants réagissent de crainte que leur activité .... *(disparaître)*. Notre municipalité cherche à sensibiliser la population dans le but que les habitants .... *(se rendre compte)* de la gravité de la situation et qu'ils .... *(venir)* signer notre pétition destinée au préfet de la région.

Les relations logiques : l'opposition et la concession **13**

❯ Pour formuler une opposition

❯ Pour exprimer une concession

❯ Pour émettre une réserve

❯ Pour exprimer une variété de possibilités

❯ Pour faire une recommandation

A L'expression de l'opposition

Pour exprimer une différence entre deux éléments, on emploie des expressions d'opposition.

mais **par contre** (langue familière) **en revanche** (langue soutenue)	expriment une opposition.	Il aime marcher **mais** pas courir. Il ne veut pas passer un mois à la mer, **par contre**, il y va quelques jours.
au contraire	exprime une opposition extrême.	Elle adore la compétition ; sa sœur, **au contraire**, déteste ça.
au contraire de **à l'inverse de** **à l'opposé de** **contrairement à** } + nom / pronom	expriment une opposition extrême.	Vous n'aimez pas marcher **à l'inverse de** nous qui adorons les randonnées. Je pars demain **contrairement à** mes amis qui partent ce soir.
au lieu de + infinitif		**Au lieu de** retourner au même endroit, nous devrions aller ailleurs !
alors que **tandis que** } + indicatif **si**		Elle adore la nature **tandis que** lui, ne sort jamais. **Si** tu préfères rester, moi je préfère partir.
autant…, autant…	indique une opposition d'intensité égale.	**Autant** cette ville est belle, **autant** je déteste son atmosphère.

(!) *Contrairement à* + nom / pronom est parfois précisé par une subordonnée relative introduite par *qui*.

1 **Complétez les phrases avec l'expression proposée pour formuler une opposition.**

Ex. : Il a choisi des études scientifiques mais son frère, non. *(contrairement à)*

→ Il a choisi des études scientifiques contrairement à son frère.

1. Je suis fascinée par l'art. Par contre, toi, tu ne l'es pas. *(au contraire de)*

→ Je suis fascinée par l'art ....

2. Notre intérêt porte sur le commerce. Le vôtre porte sur les finances publiques. *(en revanche)*

→ Notre intérêt porte sur le commerce ....

3. Vous vous dirigez vers la physique contrairement à moi qui préfère les mathématiques. *(par contre)*

→ Vous vous dirigez vers la physique ....

4. L'étude des langues vivantes est passionnante mais celle des langues mortes, non. *(à l'inverse de)*

→ L'étude des langues vivantes est passionnante ....

5. Elle n'aime pas beaucoup la littérature. Elle aime, en revanche, la philosophie. *(mais)*

→ Elle n'aime pas beaucoup la littérature ....

6. Il a été inscrit dans une université. Ses amis, non. *(contrairement à)*

→ Il a été inscrit dans cette université ....

7. Elles ont préféré faire des études de pharmacie. Elles n'ont pas choisi médecine. *(au lieu de)*

→ Elles ont préféré faire des études de pharmacie ....

2 **Réécrivez les phrases avec** *contrairement à* **+ proposition relative introduite par** *qui*.

Ex. : Il aime les livres en version papier. Son frère, au contraire, préfère la version électronique.
→ Il aime les livres en version papier contrairement à son frère qui préfère la version électronique.

1. Elle écrit des lettres alors que ses amies envoient des méls.

→ ....

2. Ton appareil photo est automatique tandis que le mien est entièrement manuel.

→ ....

3. Elles utilisent une messagerie instantanée alors que leurs parents téléphonent.

→ ....

4. Certains s'informent sur les réseaux sociaux tandis que d'autres consultent les sites d'information officiels.

→ ....

5. Une de mes amies croit tout ce qu'elle lit sur Internet. Moi, à l'inverse, je croise les données pour éviter les infox.

→ ....

6. En vacances, je refuse de regarder la télévision alors que mon mari ne peut pas s'en passer.

→ ....

3 **Mettez dans l'ordre des oppositions dans le domaine des sciences et technologies.**

Ex. : certaines recherches / d'autres / progressent / beaucoup / stagnent / alors que
Certaines recherches progressent beaucoup alors que d'autres stagnent.

1. tandis que / à Internet / très facile / ailleurs / dans ce pays / un accès / est très compliqué /
il y a / cet accès

....

....

2. autant / autant / certaines recherches / ne servent à rien / sont indispensables / d'autres

....

3. des mystères / autant / progressent / autant / les recherches / subsistent

....

4. les jeunes / fascine / alors que / la technologie / aux seniors / elle fait / peur / souvent

....

5. elle peut / autant / la science / autant / fascinante / inquiéter / est

....

6. si / les recherches / manque / se développent / l'explication / souvent / au public / de clarté

....

4 **Un urbaniste parle des aspects contradictoires de sa ville. Soulignez la forme correcte.**

Ex. : *Au lieu de* / *Contrairement à* construire des tours, la Mairie devrait favoriser des constructions
à taille humaine.

1. L'architecture du centre-ville est plus ancienne *au contraire de* / *tandis que* celle de la banlieue
qui est plus moderne.

2. Les gens aimeraient sortir le soir *alors que* / *contrairement à* les transports publics sont rares
après 22 heures.

3. Certains quartiers sont très animés *tandis que le* / *à l'opposé du* centre administratif est désert le soir.

4. *Alors que* / *Contrairement à* ceux du centre-ville, les loyers sont plus accessibles en banlieue.

5. *Si* / *En revanche* les façades du centre-ville sont régulièrement restaurées, ce n'est pas le cas
à la périphérie.

6. Les commerces se multiplient à la périphérie des villes, *contrairement à* / *en revanche* ceux
du centre-ville disparaissent progressivement.

7. *Alors que* / *Autant* les avenues ont été bien aménagées, *autant* / *par contre* les petites rues sont
laissées à l'abandon.

B L'expression de la concession

Les mots de liaison, les conjonctions et la locution « avoir beau »

Pour souligner qu'un fait ou une situation n'a pas le résultat attendu, on utilise des expressions de concession.

Les prépositions **mais** **pourtant** **pour autant** **cela étant** **cependant** (formel) **toutefois** (formel) **néanmoins** (formel) **or**	introduisent un élément nouveau qui modifie le résultat attendu. est parfois suivi par la nouvelle conséquence.	Il fait très froid **pourtant** j'ai envie d'aller me promener. Le soleil est magnifique, **pour autant** il ne serait pas raisonnable de sortir. Il a voulu partir en expédition polaire ; **or** les prévisions météo étaient mauvaises, il y a donc renoncé.
malgré **en dépit de** } + nom / pronom **contrairement à ce** + pronom relatif **quitte à** + infinitif *(= même si)*	indiquent qu'on ne tient pas compte de la réalité.	On part se promener **en dépit des** mauvaises prévisions météo. Il fait très beau **contrairement à ce** qui était prévu. Je sors **quitte à** revenir trempé !
Les conjonctions **bien que** **quoique** (formel) **sans que** **quitte à ce que** } + subjonctif	introduisent une concession négative.	Nous continuons **quoique** les conditions ne nous satisfassent pas entièrement. Il s'est fait une entorse **sans que** je m'en aperçoive.
La locution **avoir beau** + infinitif présent / passé	exprime un effort inutile.	Il **a beau** s'être préparé sérieusement pour son examen, il a échoué.

(!) *Tout de même* et *quand même* renforcent la concession généralement exprimée par *mais, pourtant.*
Ex. : *Il pleut mais je viens* **quand même**.

5 Mettez dans l'ordre.

Ex. : est / film / très réussi / ce / succès / n'a / de / pourtant / et / il / pas eu
Ce film est très réussi et pourtant il n'a pas eu de succès.

1. de mauvaises critiques / je / le / j'ai lu / sur ce spectacle / quand même / voir / irai / mais

....

2. l'acteur / les journalistes / avait promis / rencontrer / de / il / le rendez-vous / a manqué / or

....

3. voir / ce spectacle / absolument / je veux / payer / très cher / quitte à / ma place

....

4. les médias / l'enthousiasme / ne s'intéressent pas / malgré / des spectateurs / à cette pièce

....

5. magnifique / était / l'opéra / , / toutefois / une réserve / la mise en scène / sur / j'émets

....

6. nos places / nous avons acheté / des spécialistes / en dépit / des critiques

....

6. 🎧 23 **Écoutez ces commentaires sur des manifestations et complétez pour exprimer une concession.**

Ex. : « Bien qu'elle soit interdite, la manifestation est très suivie. »

→ Malgré son interdiction, la manifestation est très suivie.

1. En dépit de .... , il y a un grand nombre de manifestants.

2. Malgré .... , les manifestants continuent.

3. En dépit de .... , le gouvernement ne réagit pas.

4. Malgré .... , on est mal informés.

5. En dépit de .... , tu soutiens ce mouvement.

6. Malgré .... , il y a eu des débordements.

7 **Réécrivez les phrases avec *contrairement à ce qui* ou *contrairement à ce que*.**

Ex. : Nous sommes partis à pied. Ce n'était pas prévu.

→ Nous sommes partis à pied contrairement à ce qui était prévu.

1. Cette région est très touristique. Nous ne pensions pas ça.

→ ....

2. La durée du séjour a été raccourcie. Ça n'avait pas été décidé.

→ ....

3. Ils ont logé à l'hôtel. Ils ne souhaitaient pas ça.

→ ....

4. Ils ont très beau temps. Ce n'était pas annoncé.

→ ....

5. Il y a beaucoup de choses à visiter. Ce n'est pas ce que vous croyiez.

→ ....

6. On n'a pas eu de guide. On nous l'avait promis.

→ ....

8 **Voici des commentaires des personnes à la recherche d'un emploi. Réécrivez-les avec la conjonction proposée pour émettre une réserve.**

Ex. : Il suit assidûment sa formation et pourtant il a encore des lacunes. *(bien que)*
→ Bien qu'il suive assidûment sa formation, il a encore des lacunes.

1. Il y a beaucoup d'offres d'emploi, mais je suis toujours au chômage. *(quoique)*

→ ....

2. Elle paraît très méthodique cependant elle a du mal à bien s'organiser. *(quoique)*

→ ....

3. Ce job n'est pas très bien payé, mais je vais l'accepter quand même. *(bien que)*

→ ....

4. On ne me trouve pas assez expérimenté même si j'ai fait plusieurs stages. *(bien que)*

→ ....

5. Il est directeur général, cela étant, il n'est pas toujours sûr de lui. *(bien que)*

→ ....

6. On me dit que les places sont rares, or j'ai déjà eu plein de propositions. *(quoique)*

→ ....

7. Les entreprises n'embauchent pas beaucoup, toutefois la situation économique s'améliore. *(quoique)*

→ ....

8. Vous répondez à un maximum d'annonces, pourtant vous ne recevez pas d'offre. *(bien que)*

→ ....

9 **Complétez avec *quitte à* ou *quitte à ce que*.**

Ex. : On fait les courses au marché quitte à payer un peu plus cher.

1. Vous refusez de faire vos courses par Internet .... ne pas faire d'économies.

2. J'achète les produits frais directement aux producteurs .... il y ait moins de choix.

3. .... dépenser plus, je préfère consommer bio.

4. Au restaurant, on choisit d'abord des plats légers .... à prendre un dessert aux fruits ensuite.

5. Chez moi, je prépare tout moi-même .... ce ne soit pas toujours très réussi !

6. Tu manges sainement .... moins varier ta nourriture.

7. Nous rejetons les surgelés .... passer beaucoup de temps en cuisine.

10 **Réécrivez ces phrases sur des difficultés d'apprentissage. Utilisez la locution *avoir beau*.**

Ex. : J'étudie tous les soirs, pourtant je n'ai pas de résultats satisfaisants.

→ J'ai beau étudier tous les soirs, je n'ai pas de résultats satisfaisants.

1. Vous suivez des cours supplémentaires mais vos notes sont médiocres.

→ ....

2. Elle a une bonne oreille, pourtant elle fait des erreurs de prononciation.

→ ....

3. Nous nous concentrons sur ce poème mais nous le trouvons très difficile.

→ ....

4. Vous faites des efforts mais ça ne suffit pas.

→ ....

5. Ils répètent leurs leçons tous les jours, pourtant ils ne les retiennent pas.

→ ....

6. Tu apprends par cœur, mais tu oublies encore des mots.

→ ....

11 **Réécrivez avec *sans que* + subjonctif présent ou *sans* + infinitif présent.**

> On utilise *sans que* + subjonctif s'il y a deux sujets.
> **Ex. :** *Il est parti **sans que** je lui dise au revoir.*
> On utilise *sans* + infinitif s'il y a un seul sujet. **Ex. :** *Il est parti **sans** me dire au revoir.*

Ex. : Il est arrivé, je ne l'ai pas entendu.

→ Il est arrivé sans que je l'entende.

1. On s'est perdus, on ne s'en est pas aperçus.

→ ....

2. Tu as posté la lettre, je ne l'avais pas lue !

→ ....

3. Elle s'est inscrite, elle n'a rien dit.

→ ....

4. Il a pris la parole, il ne l'a pas demandée !

→ ....

5. Vous avez réservé, je ne l'ai pas su.

→ ....

6. Ils sont entrés, tu ne t'en es pas rendu compte.

→ ....

Les pronoms relatifs indéfinis

quoi que où que qui que } quel(le) que soit quel(le)s que soient }	+ subjonctif + nom	expriment une indifférence, une variété de possibilités.	**Quoi que** je fasse, **où que** j'aille, **quels que soient** mes projets, on ne me fait pas confiance.

12 **Complétez ces commentaires avec *quoi que* ou *quoique*.**

Ex. : Quoi qu'on fasse, c'est bien.

> *Quoique* → conjonction
> **Ex. : *Quoiqu*'il soit
> intelligent, il se trompe
> souvent.*
> *Quoi que* → quoi est COD
> du verbe.
> **Ex. : *Quoi qu*'il apprenne,
> il le mémorise vite.*

1. .... vous ayez décidé, nous vous suivrons.

2. .... elle dise, personne ne l'écoute.

3. .... elles aient tort, elles persistent dans leur opinion.

4. .... il se passe, il faut garder son calme.

5. .... nous soyons amis, nous nous disputons parfois.

6. .... ils partent plus tôt, ils arrivent toujours en retard.

13 **Réécrivez les phrases avec *où que, quoi que* ou *qui que* pour exprimer une variété de possibilités.**

Ex. : Tu peux partir n'importe où. J'irai avec toi.

→ Où que tu partes, j'irai avec toi.

1. Elle ne grossit pas et pourtant elle mange toutes sortes d'aliments sucrés.

→ ....

2. Vous pouvez sélectionner n'importe quel candidat. Je ferai équipe avec lui.

→ ....

3. Les autres peuvent dire ce qu'ils veulent, moi, je ne changerai pas d'avis.

→ ....

4. Je peux aller n'importe où, je découvre de nouvelles cultures.

→ ....

14 🎧 24 **Écoutez les recommandations et cochez la forme entendue.**

Ex. : « Quelle que soit l'heure de votre rendez-vous, vous devez être ponctuel. »

	Ex.	1	2	3	4	5	6	7	8
Quel que									
Quelle que	✔								
Quels que									
Quelles que									

BILAN

1 **Julia parle de la Fête de la musique sur son blog. Choisissez la forme correcte.**

Cette semaine, le 21 juin, ce sera la Fête de la musique. *Alors qu' / Quitte à ce qu'* **(1)** on attribue la création de cet événement à la France, il est maintenant connu partout dans le monde. C'est une fête populaire qui attire beaucoup de monde *bien qu' / contrairement à ce qu'* **(2)** on pensait à sa création : la musique, c'est pour les élites !

Mais non, c'est faux ! La musique permet à des « artistes » amateurs de se faire connaître *quoi qu' / sans qu'* **(3)** ils aient à passer par des sélections. En effet, *au contraire de / autant* **(4)** la musique est le bien de tous, *à l'inverse / autant* **(5)** la possibilité de se faire entendre est souvent réservée à des professionnels. Aller dans une salle coûte cher *tandis que / quoique* **(6)** passer la soirée dans la rue et choisir la musique qu'on aime écouter est gratuit. Cela étant, *si / malgré* **(7)** le 21 juin est festif, il peut être source de désagrément : certains habitants n'apprécient ni la foule ni le bruit. *À l'inverse / Or* **(8)**, l'idée était de réunir tout le monde dans la bonne humeur ! Et quand le 21 juin est en semaine, *contrairement à / contrairement à ce que* **(9)** la fête prévoit, beaucoup de gens ne peuvent pas y participer à cause de leurs horaires de travail. Serait-il possible de décaler l'événement pendant le week-end *tandis que / sans que* **(10)** son objectif soit modifié ?

2 **Réécrivez les phrases avec les formes entre parenthèses.**

1. J'ai dit la vérité mais vous ne me croyez pas. *(bien que)*

→ ....

2. Nous avons fait des efforts, eux, n'en ont pas fait. *(contrairement à)*

→ ....

3. Elles sont généreuses mais elles commencent aussi à se lasser. *(si)*

→ ....

4. Tu es vraiment distrait, pourtant on peut te faire confiance. *(quoique)*

→ ....

5. On ne sait pas où vous êtes parti, peu importe, nous gardons le contact. *(où que)*

→ ....

6. Il avait tendance à la complimenter même si elle faisait des erreurs. *(alors que)*

→ ....

7. Vous avez triché, cependant personne n'a rien vu. *(sans que)*

→ ....

8. Je fais une chose ou une autre, il est toujours content. *(quoi que)*

→ ....

❸ Complétez cette lettre de protestation au maire de la ville de Murel.

sans que • en dépit de • si • avons beau • bien que • quoi que • contrairement à • cependant

Le Collectif de défense des habitants
20 place du Platane
99250 Murel

Monsieur le Maire de Murel
Hôtel de ville de Murel

Murel, le 8 décembre 2018

Monsieur le Maire,

.... plusieurs pétitions que nous avons déjà envoyées, vous avez décidé de ne pas entendre l'opinion de vos concitoyens .... votre prédécesseur. .... nous sommes patients, nous avons .... notre amour-propre. La liste de nos critiques est longue, nous nous contenterons de quelques exemples significatifs. Concernant, par exemple, le projet de restructuration du centre-ville, nous .... vous avoir demandé un rendez-vous, vous ne nous avez jamais répondu. Par ailleurs, la destruction du petit centre commercial s'est faite .... personne soit consulté. Quant à la sécurité routière, ... nous vous ayons écrit plusieurs fois, rien n'a été fait pour sécuriser les écoles.

La situation a suffisamment duré. .... vous fassiez dans l'avenir sans consultation préalable, vous nous trouverez sur votre chemin.

Nous vous prions d'agréer, Monsieur le Maire, nos salutations distinguées.

Le Collectif de défense des habitants

❹ Voici des extraits du bulletin scolaire d'Elvira. Réécrivez-les en marquant la concession ou l'opposition.

Français	Elvira a été malade, pourtant elle obtient des résultats honorables. *(en dépit de)* → ....
Mathématiques	Elvira a été souvent absente, mais elle a rattrapé son retard en mathématiques. *(malgré)* → ....
SVT	Sa moyenne en français a progressé, mais celle en SVT a baissé. *(contrairement à)* → ....
Appréciation globale	Elvira a eu des problèmes de santé mais elle passera dans la classe supérieure. *(avoir beau)* → ....
Niveau de la classe	Les résultats de la classe restent moyens, pourtant une amélioration de la participation est visible. *(bien que)* → ....

CHAPITRE

1 Les temps du passé

A L'accord du participe passé

1 **1.** villes **2.** voyageurs **3.** cliente **4.** les **5.** gens **6.** valise **7.** places **8.** les **9.** passagères **10.** sandwichs **11.** nous

2 **a.** Accord : 1, 2, 3, 8, 10
Pas accord : 4, 5, 6, 7, 9
b. Accord avec le sujet : 8, 10
Accord avec le COD placé avant le verbe : 1, 2, 3
Pas d'accord car pas de COD : 4
Pas d'accord car le COD est placé après le verbe : 5, 6, 7
Pas d'accord avec le pronom *en* : 9

3 **1.** achetés **2.** utilisés **3.** oubliés **4.** pris **5.** coûté **6.** prévenue **7.** payé

4 **1.** Ils se sont demandé **2.** Elles se sont promis **3.** Nous nous sommes rencontrés **4.** Vous vous êtes succédé **5.** Ils se sont suivis **6.** Vous vous êtes téléphoné

5 **1.** ils ne se sont pas remarqués **2.** ils se sont regardés **3.** ils se sont souri **4.** ils se sont parlé **5.** ils se sont téléphoné **6.** ils se sont revus **7.** ils se sont promenés **8.** ils se sont raconté **9.** ils se sont appréciés **10.** ils se sont disputés **11.** ils se sont réconciliés

6 **1.** Elle s'est fait interpeller. **2.** Ils se sont fait aborder. **3.** Je me suis fait aider. **4.** Vous vous êtes fait maltraiter. **5.** Elles se sont fait influencer. **6.** Tu t'es fait guider.

7 **1.** entendue **2.** entendu **3.** vus **4.** vu **5.** sentie **6.** regardés **7.** regardées

8 **1.** j'y suis allée **2.** je me les suis fait offrir **3.** je me les suis achetées **4.** tu en as parlé **5.** il t'a donné **6.** elle s'est commandé **7.** ils se sont réservé

9 **1.** approchée **2.** prise **3.** rendu **4.** repris **5.** remerciées **6.** partie **7.** revenue **8.** demandé **9.** dit **10.** mise **11.** injuriées **12.** suivies **13.** souvenue **14.** répété **15.** dit

B Le passé composé, l'imparfait, le plus-que-parfait et le passé surcomposé

10 **1.** (j')ai vu **2.** ont quittés **3.** ont rejoint **4.** ont encouragés **5.** ont promis **6.** (l')ont fait **7.** sommes restés **8.** (n')est parvenue **9.** avons ingurgité **10.** a pu

11 **1.** marchaient **2.** fermaient **3.** (C')était **4.** semblait **5.** marchaient **6.** allaient **7.** soufflait

12 **1.** était **2.** est devenu **3.** s'approchait **4.** a commencé **5.** s'est levé **6.** a eu **7.** s'est accélérée

8. voulait **9.** est passé **10.** est tombée **11.** est revenu **12.** a séché **13.** sont retournés

13 🔊02 **Ex. :** Je me suis inscrite trop tard.
1. On se sentait stressé.
2. Bravo ! Vous avez réussi !
3. On n'avait pas assez révisé.
4. Tu avais mal rédigé.
5. Ils faisaient de la recherche à la fac.
6. Le jury les a félicités.
7. Je n'avais jamais soutenu de thèse.
8. Tu pensais aller dans une grande école.
9. Elle s'était orientée vers le droit.
10. On a raté les épreuves écrites.

Passé composé : 2, 6, 10
Imparfait : 1, 5, 8
Plus-que-parfait : 3, 4, 7, 9

14 Avant son accident, Richard faisait beaucoup de vélo. Il adorait la compétition. Il s'était inscrit dans un club, il avait remporté plusieurs victoires.

15 **1.** (J')avais **2.** (j')ai écrit **3.** (j')écrivais **4.** traînaient **5.** demandais **6.** (J')étais **7.** figurait **8.** (j')avais prévu **9.** s'appelait **10.** réunissait **11.** avait **12.** êtes devenu **13.** a fait **14.** avez publié **15.** (j')avais envisagé **16.** avaient quittée **17.** ont connu

16 🔊03 **Ex. :** tu as eu compris
1. ils avaient perdu
2. j'ai eu terminé
3. nous avions constaté
4. elle a eu arrêté
5. elles ont été sorties
6. vous avez rendu
7. j'ai eu fait
8. vous aviez envie
9. ils ont eu décidé
10. elle avait rencontré

Verbes au passé surcomposé : 2, 4, 5, 7, 9

17 **1.** Aussitôt que vous avez été arrivé(e)(s), vous nous avez fait la démonstration. **2.** Une fois qu'il a eu essayé, il nous a montré comment ça marchait. **3.** Dès que j'ai eu testé le produit, j'ai décidé de l'acheter. **4.** Une fois que tu as eu fini ce jeu, tu as eu envie de le recommencer. **5.** Quand j'ai eu compris le système, je vous en ai parlé. **6.** Dès qu'elle a été descendue de l'avion, elle a voulu y remonter.

18 **1.** Une fois qu'elle a eu avalé un comprimé, elle s'est sentie mieux. **2.** Dès que j'ai été sortie de chez moi, il a commencé à pleuvoir. **3.** Aussitôt qu'il a eu pris sa décision, personne n'a pu le faire changer d'avis. **4.** Après qu'ils ont eu compris leur erreur, ils nous ont présenté leurs excuses. **5.** Une fois qu'on a eu réalisé qu'il mentait sans arrêt, on a décidé de ne plus le revoir. **6.** Dès qu'ils ont été montés en voiture, j'ai démarré.

C Le passé simple

19 s'arrêta / s'arrêter – s'écria / s'écrier – courut / courir – sortirent / sortir – se mirent / se mettre – roula / rouler – se rompit / se rompre – pus / pouvoir – commença / commencer – découvrit / découvrir – apparut / apparaître

20 1. elle alla **2.** je fus **3.** ils firent **4.** vous demandâtes **5.** nous répondîmes **6.** je pris **7.** elles lurent **8.** il revint **9.** ils passèrent **10.** nous tînmes

21 a. Après cette interminable journée, Gustave *rentra* chez lui vers onze heures du soir. Il **prit** un long bain pour se détendre. Puis, il **se mit** dans son fauteuil, **alluma** un cigare, **ouvrit** le journal et quelle ne fut pas sa stupéfaction quand il **vit** les gros titres : « Léon Léonin libéré ». Il n'en **crut** pas ses yeux, il **faillit** lâcher son cigare, la panique **monta** en lui, des gouttes de transpiration **perlèrent** à son front. Et soudain, il **entendit** les trois coups de sonnette si familiers ! Son sang ne **fit** qu'un tour. Il **resta** paralysé dans son fauteuil. Une clé **tourna** dans la serrure et il **aperçut** la haute silhouette d'un inconnu dans le vestibule...
b. -ai, -as, -a, -èrent : allumer, monter, perler, rester, tourner
-is, -is, -it, -irent : prendre, se mettre, ouvrir, voir, faillir, entendre, faire
-us, -us, -ut, -urent : être, croire, apercevoir

22 Après une enfance libre et heureuse en Normandie, il *assista* à la défaite de 1870, puis **accepta** un emploi de fonctionnaire à Paris. Parallèlement à une vie sportive et joyeuse, il **fit** son « apprentissage » sous la direction de Flaubert qui lui **présenta** Daudet et Zola. *Boule de suif*, une des nouvelles qu'il **écrivit** en 1880, **détermina** sa vocation de conteur et lui **assura** le succès. Il **vécut** désormais de ses livres et **publia** près de trois cents nouvelles en dix ans. La fin de sa vie **fut** cependant assombrie par des troubles nerveux et la hantise de la mort. Il **eut** une fin pénible puisqu'il **mourut** après dix-huit mois d'internement.

23 1. (je suis parti) je **partis 2.** (je me suis mis) je me **mis 3.** (j'ai été forcé) je **fus** forcé **4.** (j'ai repris) je **repris 5.** (j'ai continué) je **continuai 6.** (l'espoir m'est venu) l'espoir me **vint 7.** (je me suis arrêté) je m'**arrêtai 8.** (personne ne m'a répondu) personne ne me **répondit 9.** (la calèche a continué) la calèche **continua 10.** (je l'ai regardée) je la **regardai 11.** (je suis reparti) je **repartis 12.** (j'ai mis) je **mis 13.** (la vue de Paris m'a rendu) la vue de Paris me **rendit** ; **14.** (j'ai descendu) je **descendis**

BILAN

1 🎧 04 **1.** Vous aviez réservé.
2. On s'est trompés.
3. Ils ne faisaient pas attention.
4. Il se fâcha.
5. Vous vous êtes inquiété.
6. Il a été rentré.
7. Nous n'avions pas compris.
8. Il était trop tard.
9. Ils ont payé.
10. Elle a eu décidé.
11. Ils vécurent heureux.
12. Je n'avais pas encore téléphoné.

Passé composé : 2, 5, 9
Imparfait : 3, 8
Plus-que-parfait : 1, 7, 12
Passé surcomposé : 6, 10
Passé simple : 4, 11

2 1. se sont rendues **2.** a entendus **3.** a conclu **4.** ont délibéré **5.** avait requise **6.** a condamné **7.** ont beaucoup commentée **8.** se sont exprimés **9.** ont été sortis **10.** s'étaient regroupés

3 1. étions **2.** avons remarqué **3.** dînait **4.** avons vue **5.** avons trouvée **6.** s'était pas assise **7.** bougeait **8.** était **9.** semblait **10.** appelait **11.** commandait **12.** posait **13.** est venu **14.** voulait **15.** nous sommes dit **16.** avait engloutie **17.** sommes restées **18.** a demandé

4 Pendant ma dernière année d'études, j'ai fait un stage de quatre mois comme secrétaire chez un médecin qui **avait** besoin d'une assistante car il **s'était installé** peu de temps auparavant. Je n'avais jamais travaillé et au début le rythme **a été / était** difficile. J'ai souffert / je souffrais ! Pendant ce stage, j'ai **acquis** une bonne expérience de gestion car c'est moi qui **prenais** les rendez-vous et **organisais** la journée du médecin. Après ce stage, j'ai **terminé** mes études mais je **suis restée** en contact avec lui. Quand j'ai eu obtenu / ai obtenu mon diplôme, il m'a **proposé** la responsabilité du secrétariat du cabinet qui **s'était agrandi**.

5 Fêter Halloween d'une manière originale !
Les habitants du village de Laàs se **sont** retrouvés hier soir au château qui, pour l'occasion, **avait été** illuminé / était illuminé et était devenu le « château des énigmes » où on **organisait** une exposition sur le spiritisme. Les enfants se **sont** précipités tout de suite à l'atelier de maquillage qui les **accueillait** à l'entrée du parc. Et c'est là que madame Dupin, la grand-mère du petit Loïc, **a perdu** connaissance : « Dès que j'ai eu franchi / ai franchi la grille du parc, j'ai vu tous ces fantômes qui **tournaient** autour de moi ! Ils **criaient**, c'était effrayant ! Alors je **crois**

bien que j'ai eu un malaise », nous déclara cette gentille octogénaire ce matin. « Mes amis m'ont reconduite chez moi, et quand j'ai été rentrée / suis rentrée, je me suis trouvée vraiment stupide ! ajouta-t-elle.

2 L'ordre et la place des doubles pronoms

A L'ordre des doubles pronoms

1 **1.** c **2.** a **3.** d **4.** f **5.** g **6.** b **7.** e

2 **1.** me/nous les **2.** me l' **3.** me/nous l' **4.** le leur **5.** le leur **6.** me l'

3 **1.** Une carte : vous leur en choisissez une belle sur Internet. **2.** Un cadeau : ils leur en cherchent un utile. **3.** Une photo de la salle : elle nous en a montré une très récente. **4.** Une place : vous m'en réserverez une au centre. **5.** Des animations : ils nous en ont préparé quelques-unes. **6.** Une fête : vous leur en organisez une inoubliable.

4 **1.** On leur en a parlé ? **2.** Vous nous en avez réservé ? **3.** Vous lui en avez commandé une ? **4.** Tu lui en as acheté un ? **5.** Vous lui en avez envoyé ? **6.** Vous lui en avez présenté ? **7.** Vous leur en avez traduit une ? **8.** On lui en a demandé ?

5 **1.** la leur **2.** le leur **3.** les leur **4.** les leur **5.** leur en

6 **1.** t'en acheter **2.** te la donner **3.** te la raconter **4.** les y emmène / Je vais les y emmener / Je les y emmènerai **5.** les lui montrer **6.** le leur expliquer

B La place des doubles pronoms avec deux verbes

7 **1.** Nous ne pouvons pas le lui dire avant demain. **2.** On ne pense pas l'en informer tout de suite. **3.** Je ne vais pas le lui annoncer. **4.** Il n'a pas voulu vous le demander. **5.** Vous auriez dû m'y faire penser. **6.** On a oublié de le leur rappeler.

8 **1.** Non, il ne me les a pas fait résumer. **2.** Non, il ne les a pas vus arriver. **3.** Non, je ne les ai pas entendus en parler. **4.** Oui, ils l'ont laissé s'en occuper. **5.** Oui, elle se les est fait expliquer. **6.** Oui, nous l'avons laissé les présenter. **7.** Non, elle ne le lui a pas fait relire.

C L'ordre et la place des doubles pronoms à l'impératif

9 **1.** g **2.** d **3.** a **4.** c **5.** b **6.** e **7.** f

10 **1.** apportez-le-lui **2.** Rappelez-la-moi **3.** Donnez-leur-en une **4.** Transmettez-la-lui **5.** Envoyez-le-lui **6.** Faites-nous-en un

11 **1.** Prépare-lui-en un peu ! **2.** Garde-lui-en une part ! **3.** Mets-les-leur de côté ! **4.** Apporte m'en un peu ! **5.** Écris-la-nous ! **6.** Allume-le-moi !

12 **1.** parle-m'en – ne m'en parle pas **2.** dites-la-moi – ne me la dites pas **3.** donnez-leur-en – ne leur en donnez pas **4.** communiquez-la-nous – ne nous la communiquez pas **5.** écrivez-les-lui – ne les lui écrivez pas **6.** montrez-nous-en – ne nous en montrez pas **7.** exposez-la-leur – ne la leur exposez pas **8.** explique-les-moi – ne me les explique pas **9.** faites-m'en part ! – ne m'en faites pas part ! **10.** parle-leur-en ! – ne leur en parle pas !

BILAN

❶ 🎧 05 **1.** On achète les cadeaux de Noël pour les enfants ?

2. Ils veulent écrire une lettre au père Noël ?

3. Ils postent leur lettre au père Noël eux-mêmes ?

4. Les enfants vous parlent de cadeaux dès le mois d'octobre ?

5. Tu peux montrer les catalogues à tes parents ?

6. Vous emmenez votre fille dans les grands magasins ?

1. les leur achète **2.** lui en écrire une **3.** ne la lui postent pas **4.** nous en parlent **5.** les leur montrer **6.** l'y emmenons

❷ **1.** m'en parlez **2.** les ai entendus en discuter **3.** le lui rappeler **4.** le lui dire **5.** vous l'a envoyée **6.** la lui donner **7.** nous les poste

❸ **1.** vous les avons déjà signalés **2.** le lui rappeler **3.** lui en faire part **4.** nous les faire parvenir **5.** nous l'aviez promis **6.** nous en proposer

❹ – Salut Samia ! Alors, ta pièce de théâtre, vous en êtes où ?

– On espère la jouer l'été prochain à Avignon. Je ne t'en ai pas parlé ?

– Non ! Comment tu as eu le rôle ?

– C'est le metteur en scène qui me l'a proposé. On a travaillé des scènes ensemble, il m'en a fait reprendre quelques-unes.

– Le directeur du festival est d'accord ?

– Il n'a pas encore vu la pièce. On doit la lui présenter la semaine prochaine.

– Super ! Tu me tiens au courant ! On a envie de venir te voir à Avignon.

– Bonne idée. Jules et Lucas viendront aussi, vous pourriez vous y donner rendez-vous, ils pourraient même vous y conduire. En tout cas, dès que j'ai les invitations, je vous les envoie !

– Merci. À bientôt, bises.

– À plus tard, bises.

5 Un problème ? Venez m'en parler !
Vos soucis ? Je **vous les** ferai oublier !
Une nouvelle vie pour vous ? Je **m'y** engage !
L'homme / la femme de votre vie ? Je **vous le / la** présenterai !
La confiance retrouvée ? Je **vous y** aide !
Le bonheur ? Je **vous le** promets !
Cette sérénité ? Vous **m'en** remercierez longtemps !

CHAPITRE

3 Les pronoms relatifs

A Les pronoms relatifs *qui*, *que*, *où* et *dont*

1 〔06〕 **Ex. :** C'est un pays où les visiteurs se sentent bien.

1. On a traversé une région qu'on a vraiment admirée.

2. C'est un endroit qui attire de nombreux touristes.

3. Nous avons visité un quartier où on voit des bâtiments très modernes.

4. C'est une ville que tous les guides recommandent.

5. C'est un voyage qui m'a fait rêver.

6. C'est une visite qu'on va sûrement refaire.

7. J'ai découvert une gastronomie que je ne connaissais pas.

8. On a vu des paysages qu'on n'oubliera jamais.

9. On est restés longtemps au bord d'un lac où se reflètent les montagnes.

10. Je suis partie à un moment où il n'y avait pas trop de monde.

Phrases avec *qui* : 2, 5
Phrases avec *que / qu'* : 1, 4, 6, 7, 8
Phrases avec *où* : 3, 9, 10

2 **1.** C'est une piscine qui est réservée aux écoliers le matin. **2.** C'est un stade qui peut accueillir des compétitions internationales. **3.** C'est une médiathèque où on organisera des conférences. **4.** C'est une école que nous avons prévue avec un accès pour les élèves handicapés. **5.** C'est un bureau de poste qui sera ouvert en septembre prochain. **6.** C'est un centre culturel que le public découvrira après les vacances.

3 Nos vacances dans les Alpes étaient super ! On a passé un séjour agréable dans un très beau gîte ! La *chambre* que nous avions louée était parfaite. L'hôtesse était très sympathique. Nous avons beaucoup apprécié les petits *plats* qu'elle nous a préparés **(1)**. La *documentation* qu'elle avait mise **(2)** à notre disposition nous a été très utile. Grâce à elle et aux *conseils* qu'elle nous a donnés **(3)**, nous avons visité deux *expositions* que nous avons beaucoup aimées **(4)**. Et quelles belles montagnes ! La *randonnée* que nous avons faite **(5)** le premier jour était sportive parce que l'*itinéraire* que nous avons suivi **(6)** n'était pas toujours bien indiqué. Regardez, je vais vous montrer les *photos* que nous avons prises **(7)**.

4 **1.** dont **2.** que – qui **3.** qui – dont **4.** où – qui **5.** qui – dont **6.** qui – dont

5 **1.** C'est aujourd'hui un peintre célèbre dont l'œuvre est unique. **2.** Il a vécu dans le village d'Auvers-sur-Oise dont les rues rappellent la présence. **3.** Il a connu des peintres dont l'amitié l'a aidé tout au long de sa vie. **4.** C'est vraiment un artiste étonnant dont la personnalité était complexe. **5.** Il était très proche de son frère dont le soutien lui a été précieux. **6.** Beaucoup de ses œuvres, dont le tableau représentant l'église d'Auvers, sont au musée d'Orsay à Paris.

6 **1.** Les rues seront réaménagées pour faciliter le déplacement des personnes dont la mobilité est réduite. **2.** Les immeubles dont la façade est trop dégradée, doivent être restaurés. **3.** Les voitures dont la consommation d'essence est excessive seront taxées. **4.** Le maire soutient les associations dont l'implication auprès des jeunes est forte. **5.** L'accès au parking gratuit a été interdit aux personnes dont le badge est périmé. **6.** Les commerces dont l'activité est touristique resteront ouverts jusqu'à minuit.

7 **1.** que **2.** qu' **3.** dont **4.** qui **5.** qui **6.** dont **7.** dont **8.** que **9.** qui **10.** qu' **11.** qu' **12.** que **13.** dont **14.** dont **15.** que **16.** dont **17.** qui

B Les pronoms relatifs avec une préposition

8 **1.** sur lequel **2.** pour qui **3.** dans lesquelles **4.** dans laquelle **5.** contre qui

9 **1.** c **2.** f **3.** a **4.** d **5.** h **6.** g **7.** e **8.** b

10 **1.** en face duquel **2.** à côté de laquelle **3.** en haut duquel **4.** au milieu desquelles **5.** au fond de laquelle **6.** au bord de laquelle **7.** loin desquels

11 **1.** le quartier auquel je dois m'habituer **2.** les administrations auxquelles il faut écrire **3.** tous les problèmes auxquels je n'ai pas encore trouvé de solution **4.** les lettres auxquelles je n'ai pas eu le temps de répondre **5.** mon nouvel ordinateur auquel je ne comprends rien **6.** l'école à laquelle je vais inscrire mes enfants **7.** tous les autres points auxquels je n'ai pas encore pensé

12 **1.** duquel **2.** dont **3.** dont **4.** duquel **5.** duquel **6.** duquel **7.** dont

13 **1.** La place de la Mairie, dont le maire est très fier, a été agrandie. **2.** On va protéger la statue de Victor Hugo autour de laquelle on jouait quand on était enfants. **3.** On a ouvert un centre multimédia à côté duquel il y a le nouvel office de tourisme.

14 **1.** à quoi **2.** contre quoi **3.** auquel **4.** grâce auxquels **5.** à laquelle **6.** de quoi

BILAN

❶ **1.** que **2.** où **3.** dont **4.** où / dont **5.** où **6.** que **7.** dont **8.** qui **9.** dont **10.** que

❷ **1.** qui **2.** qui **3.** que **4.** auquel **5.** que **6.** dont **7.** lesquels / qui

❸ **1.** que **2.** quoi **3.** qui **4.** lequel **5.** où **6.** qu' **7.** qui **8.** dont **9.** laquelle **10.** quoi **11.** que **12.** quoi

❹ Chers tous,
Finalement, je me suis inscrite au cours d'anglais **dont** Dominique m'avait parlé. Je suis avec des gens **dont** l'expérience professionnelle est assez différente de la mienne mais avec **qui / lesquels** je m'entends très bien. Notre professeur est un Américain **dont** l'accent ne m'est pas familier mais **auquel** j'espère m'habituer vite. Le jour **où** j'ai commencé, j'ai compris qu'il y avait beaucoup de choses **que** je ne connaissais pas. Le prof nous a fait regarder une vidéo **dont** la qualité n'était pas très bonne et **qui** nous a posé beaucoup de problèmes. Après, il nous a distribué des documents **que** nous avons dû lire rapidement et au sujet **desquels** nous avons discuté en petits groupes. C'est un exercice **que** je trouve stimulant parce qu'il nous met dans une situation identique à celle **qui** nous attend dans le monde du travail. J'espère que je serai prête au moment **où** je passerai l'examen.

❺ Adèle L. Voilà une chaîne **qui** présente toutes sortes de sujets et **qu'**a créée un collectif de scientifiques ! Par exemple, hier, après les infos internationales **dont** je ne peux pas me passer, il y avait une émission sur un site en Grèce **que** fouillent des archéologues et **où** ils font encore des découvertes étonnantes. Et ensuite, j'ai regardé un documentaire sur la physique quantique (un domaine **auquel** je ne connaissais vraiment rien) et ça m'a beaucoup éclairée ! C'est une chaîne à **laquelle** il faut vraiment apporter son soutien et **qui** mérite tous nos encouragements !

4 Le conditionnel présent et le conditionnel passé

A La formation du conditionnel présent et du conditionnel passé

1 **1.** j'/tu aurais – avoir **2.** vous conviendriez – convenir **3.** ils/elles distrairaient – distraire **4.** nous prévoirions – prévoir **5.** je/tu résoudrais – résoudre **6.** il/elle/on vaudrait – valoir

2 **1.** Ils ne se seraient pas trompés. **2.** Vous auriez menti. **3.** Nous nous serions disputés. **4.** Tu te serais tu finalement. **5.** J'aurais protesté. **6.** Elle n'aurait rien compris. **7.** On ne serait pas arrivé à un compromis.

3 **1.** nous aurions ri **2.** vous n'auriez pas poursuivi **3.** tu te serais interrompu(e) **4.** ça aurait suffi **5.** elles auraient peint **6.** nous nous serions plaint(e)s **7.** ils ne se seraient pas reconnus **8.** vous auriez confondu **9.** on aurait vécu

B Les valeurs du conditionnel

4 🎧07 **Ex. :** Tu serais d'accord pour aller au cinéma ce soir ?
1. Si vous souriiez davantage, vous auriez plus d'amis.
2. Ça te dirait d'aller voir Manon en Sicile ?
3. Si j'étais vous, je prendrais le métro, ça irait plus vite.
4. Je voudrais vraiment arrêter ce travail.
5. Je prendrais bien une semaine de vacances !
6. À votre place, j'attendrais un peu avant de le revoir.
7. Tu ne voudrais pas nous accompagner ?
8. J'aimerais bien partir aux Seychelles.

Suggestion : 2, 7
Conseil : 1, 3, 6
Souhait : 4, 5, 8

5 **1.** Vous boiriez moins de boissons sucrées, vous seriez en meilleure santé. **2.** Tu privilégierais la marche à pied, tu te sentirais mieux. **3.** Vous éviteriez les boissons excitantes, vous retrouveriez votre calme. **4.** Vous mangeriez des légumes et des fruits, vous absorberiez des vitamines. **5.** Tu t'inscrirais au cours de danse, tu ferais travailler ton corps. **6.** Vous vous sépareriez de vos écrans, vous auriez plus de temps libre.

6 **1.** aurais pu – n'aurais pas attendu
2. ne lui aurais pas parlé – ne me serais pas mise
3. aurait dû – aurais pris – n'aurais pas cherché

7 **1.** aurions agrandi les installations **2.** aurait diversifié les activités **3.** aurait recherché des débouchés à l'étranger **4.** aurions modernisé les équipements **5.** (J')aurais embauché un chargé de communication **6.** aurait aidé(e)s financièrement

8 **1.** J'aurais aimé présenter toutes mes compétences. **2.** Elle aurait souhaité se montrer convaincante. **3.** J'aurais voulu être précis dans l'exposé de mon expérience. **4.** J'aurais préféré m'exprimer plus clairement. **5.** Elle aurait dû bien/mieux préparer son entretien. **6.** Il aurait pu insister sur son expérience auprès d'enfants.

9 **1.** je ne serais pas arrivé dans les derniers **2.** elle aurait eu un bon score **3.** ils auraient eu une chance **4.** j'aurais pu gagner **5.** tu n'aurais pas été dépassé par les autres **6.** vous ne vous seriez pas blessés **7.** elle aurait été qualifiée

10 **1.** faudrait **2.** ne devrais pas **3.** serait **4.** (J')aimerais **5.** risquerais **6.** ne m'occuperais plus **7.** diraient

11 **1.** y ferait très froid **2.** serions partis faire une balade **3.** n'aurions prévenu personne **4.** découvrirais une grotte **5.** aurait un petit renard roux **6.** nous indiquerait une galerie souterraine **7.** te prendrais par la main **8.** commencerions à descendre

12 **1.** Connaîtriez-vous **2.** Sauriez-vous **3.** Vous ne vous seriez pas trompé **4.** Serait-il **5.** Nous ne nous serions pas déjà rencontrés **6.** vous n'auriez pas laissé tomber

13 ⟨08⟩ **Ex. :** Une avalanche a détruit plusieurs chalets.
1. Il y aurait une dizaine de victimes.
2. Le radoucissement serait à l'origine de la catastrophe.
3. Des vacanciers ont donné l'alerte.
4. Les secours sont arrivés très vite sur place.
5. Les responsables auraient signalé le danger le mois dernier.
6. Les chalets se trouvaient sur une zone à risques.
7. Les permis de construire auraient été accordés trop vite.
8. Il s'agirait donc d'un scandale immobilier.
9. Une enquête a été ouverte.
10. Plusieurs individus seraient recherchés.

C'est certain : 3, 4, 6, 9
C'est incertain : 1, 2, 5, 7, 8, 10

14 **1.** se serait rendue **2.** aurait pris **3.** aurait voyagé / voyagerait **4.** vivrait **5.** aurait appris **6.** n'aurait pas supporté / ne supporterait pas **7.** serait

15 **1.** aurait enseveli **2.** compterait **3.** aurait fait **4.** seraient **5.** atteindrait **6.** se lèverait **7.** prendrait **8.** irait

BILAN

❶ **1.** i **2.** g **3.** e **4.** f **5.** d **6.** b **7.** c **8.** h **9.** a

❷ **1.** j'aurais voulu **2.** ce serait **3.** aurais aimé **4.** aurait fallu **5.** auriez dû **6.** pourriez **7.** aimerais bien **8.** aurait **9.** se pourrait **10.** pourrais **11.** faudrait **12.** conviendrait **13.** aurais préféré

❸ **1.** serait **2.** auraient pu nous informer **3.** aurait dû donner des explications **4.** auraient dû / devraient être prises

❹ Madame,
Suite à mon exposé, **pourriez-vous** me faire part de vos commentaires ? **J'aimerais** pouvoir m'améliorer.
Avec mes remerciements anticipés. Cordialement.
Magda Schneider

Mademoiselle,
Dans l'ensemble, votre exposé est satisfaisant. Cependant, à votre place, **j'aurais présenté** différemment le sujet. **J'aurais commencé** par introduire la situation internationale. Par ailleurs, il **aurait fallu** approfondir un peu la seconde partie et il **aurait été** préférable de vous appuyer sur les dernières données disponibles. En outre, vous **auriez pu** montrer plus d'illustrations et peut-être que vous **auriez dû** donner plus d'exemples.
Malgré ces quelques remarques, je vous félicite pour la clarté de votre présentation.
Cordialement.
Madame Duvivier

CHAPITRE
5 **Le subjonctif présent et le subjonctif passé**

A La formation du subjonctif présent et du subjonctif passé

1 ⟨09⟩ **Ex. :** Il faut qu'on soit partis avant 8 heures.
1. Il faut que tu aies fini d'ici ce soir.
2. Il faut que je vienne avec toi.
3. Il faut que nous les ayons recrutés pour le mois prochain.
4. Il faut que vous y alliez ensemble.
5. Il faut qu'elle se soit renseignée avant de décider.
6. Il faut que je leur aie répondu avant demain.
7. Il faut que vous l'embauchiez rapidement.
8. Il faut qu'il m'ait reçue d'ici deux semaines.
9. Il faut qu'on le renvoie le plus vite possible.
10. Il faut qu'on lui fixe un rendez-vous.

Subjonctif présent : 2, 4, 7, 9, 10
Subjonctif passé : 1, 3, 5, 6, 8

2 **1.** que nous nous soyons détendu(e)s **2.** que tu ne te sois pas reposé(e) **3.** qu'elles aient fait la grasse matinée **4.** que vous soyez arrivé(e)s à l'heure **5.** que je ne me sois pas fatigué(e) **6.** que tu te sois couché(e) tôt **7.** qu'on ne vous ait pas réveillé(e)s **8.** que nous ayons entendu le réveil **9.** que vous ayez pris votre temps

3 **1.** que nous ayons demandé de reporter le rendez-vous **2.** que vous ayez mal présenté votre dossier **3.** que ce jeune homme ne sache pas répondre **4.** que nous fassions des erreurs **5.** que vous sachiez parler quatre langues étrangères **6.** que je ne me sois pas bien préparé

B L'emploi du subjonctif

4 **4.** preniez – j'aimais bien que **5.** parliez – j'appréciais que **6.** disiez – (j'appréciais) que **9.** reveniez – Je suis content que

5 **1.** que vous ayez reporté votre installation dans le quartier **2.** que tu viennes avec eux **3.** qu'elles annulent la soirée **4.** que je me sois installé avec elle **5.** que vous déménagiez près de chez moi **6.** qu'on ne s'entende pas très bien **7.** qu'elle ait pu nous inviter tous chez elle

6 **1.** que vous reveniez sans un seul bon souvenir **2.** que tu ne sois pas partie avec lui **3.** que nous les voyions souvent **4.** que tout se soit passé mieux que prévu **5.** que le gîte soit mal entretenu **6.** que beaucoup de touristes soient vraiment impolis

7 **1. a.** que je ne prenne pas un train omnibus **b.** ne pas prendre un train omnibus **2. a.** qu'ils aient un supplément à payer **b.** d'avoir un supplément à payer **3. a.** de ne pas avoir de retard **b.** que tu n'aies pas de retard **4. a.** que nous voyagions ensemble **b.** de voyager ensemble

8 **1.** que beaucoup de gens n'aient pas reçu d'aide **2.** que partout, des hommes et des femmes ne puissent pas étudier **3.** que des secours aient été envoyés rapidement **4.** que des individus aient interdit les activités culturelles dans leur pays **5.** que des mesures aient été prises pour améliorer la situation **6.** qu'on fasse des efforts partout pour sensibiliser les populations

9 **1.** Il est urgent que les enquêteurs se rendent sur place. **2.** Le commissaire veut que les voisins soient interrogés. **3.** Les enquêteurs demandent que personne n'entre dans la maison. **4.** Il est bizarre que sa famille n'ait pas remarqué son comportement inhabituel. **5.** Il semble qu'il y ait eu des actes violents. **6.** Il est indispensable que des analyses soient effectuées rapidement.

10 **1.** les discriminations soient condamnées **2.** les dirigeants fassent quelque chose de concret **3.** certains réagissent **4.** (qu')on maintienne le droit de grève **5.** il y ait une concertation **6.** les gens sachent que des dangers nous menacent **7.** aient enfin compris les enjeux **8.** n'agisse pas encore de manière responsable **9.** se sente impliqué **10.** réunissions de plus en plus de sympathisants.

C Exprimer une opinion : indicatif ou subjonctif ?

11 🔊 **10** **Ex. :** Il ne croit pas qu'on puisse venir.
1. Tu ne penses pas qu'ils aient voulu rester ?
2. Je ne crois pas que tu vas déménager.
3. Êtes-vous certain qu'il ait fait attention ?
4. Nous ne sommes pas sûrs qu'il a compris.
5. Je ne trouve pas que c'est intéressant.
6. Ils ne sont pas persuadés que je réussisse.
7. On n'est pas sûrs qu'ils aient réservé.
8. Il ne croit pas que c'est une bonne idée.
9. Pensez-vous qu'ils puissent s'installer ici ?
10. Elle estime que tu as fait du bon travail.

Conviction : 2, 4, 5, 8, 10
Doute : 1, 3, 6, 7, 9

12 **1.** plaira **2.** conviendra **3.** ravisse **4.** pourra **5.** réjouisse **6.** fera **7.** corresponde **8.** ait **9.** n'en ont pas déjà commandé **10.** aille

13 **1.** Tu crois que les voisins voudront nous donner un coup de main ? **2.** Est-il certain que la décoration soit finie cette semaine ? **3.** Sommes-nous sûrs que les meubles soient livrés rapidement ? **4.** Est-ce que vous croyez qu'on devra démolir le gros mur ? **5.** Croyez-vous que cette agence garantisse un bon accord ? **6.** Croyez-vous que ce soit la meilleure décision ? **7.** Tu crois que tu pourras nous prêter un peu d'argent ? **8.** Pensez-vous qu'il y ait beaucoup de travaux à faire ? **9.** Sont-ils sûrs que cette option leur garantisse une entière satisfaction ?

D Le subjonctif dans la proposition relative

14 **a.** **2.** <u>qui veuille</u> **3.** qui a suivi **4.** qui connaît **5.** <u>en qui notre équipe ait</u> **6.** <u>qui puisse nous seconder</u> **7.** <u>qui sache parler</u> **8.** <u>qui ait effectué</u> **9.** qui nous permettra
b. **Une incertitude :** 2, 5, 6, 7, 8
Une quasi-certitude : 3, 4, 9

15 **1.** aie conduite – proposions – ayons **2.** aie essayée – puissiez **3.** vendions – puisse – souhaitiez

16 **1.** Nicole et Jacques n'ont rien vu qu'ils veuillent rapporter de ce voyage. **2.** Nous n'avons trouvé personne qui sache bien parler italien. **3.** Samia n'avait jamais vu un douanier qui agisse comme ça. **4.** Ils ne sont jamais allés nulle part où les paysages leur aient plu totalement. **5.** Je n'ai rien vu qui m'ait intéressé.

17 **1.** la seule que tu aies lue **2.** le premier que j'aie vu **3.** le pire que j'aie visité **4.** le seul et unique qu'elles connaissent ? **5.** les meilleurs que j'aie entendus

18 **1.** C'est l'expérience la plus intéressante que vous ayez faite ? **2.** Pouvez-vous me parler du premier stage qui vous ait vraiment motivée ? **3.** Quelle est la qualité professionnelle dont vous soyez le plus fier ? **4.** C'est le plus haut salaire que nous puissions vous proposer. **5.** Pouvez-vous nous fournir les diplômes qui attestent de votre formation ? **6.** Nous vous offrons les seules garanties auxquelles vous ayez droit.

BILAN

❶ a. Le responsable : Bonjour à tous, et bonjour à Bastien qui est avec nous depuis Toulouse ! Alors, attention, avec notre nouveau logiciel ! Je crains que tous les éléments n'**apparaissent** pas aussi clairement qu'avant ! Il va donc falloir que vous **soyez** très vigilants ; je voudrais d'ailleurs qu'on **mette** une note à tout le personnel.
Carla : Je vais m'en occuper. Et il se peut qu'il y **ait** déjà des erreurs. Il est indispensable que nous **vérifiions** bien le fichier clients.
Bastien : Oui, ici, il semble que quelques collègues ne **puissent** plus lire certaines données depuis cette nouvelle mise en place.
Le responsable : Ah bon ? J'aurais aimé qu'ils nous **avertissent** tout de suite !
Bastien : Je ne pense pas qu'ils s'**en soient aperçus** sur le moment.
Le responsable : Il se pourrait que ça se **reproduise** encore, il est urgent qu'on **prévienne** l'ensemble des collègues ; vous voyez ça très vite, Bastien ?
b. Volonté : je voudrais que
Nécessité : il va falloir que, il est indispensable que, il est urgent que
Possibilité : il se peut que, il se pourrait que
Doute : il semble que, je ne pense pas que
Sentiment : je crains que
Souhait : j'aurais aimé que

❷ 1. parler **2.** nous rencontrions **3.** sachiez **4.** avez commis **5.** aient gêné **6.** ayez coupés **7.** ayez choisi **8.** pouviez **9.** n'ayez pas pris la peine **10.** devoir

❸ Les dégâts de la tempête Josepha n'ont pas encore été évalués. On attend que les chiffres exacts **soient communiqués**.
Le *Sauvelestous* sera bientôt de nouveau en mer ! C'est rassurant que ce bateau **reprenne** ses sauvetages en Méditerranée.
Édouard Piton n'abandonnera pas la politique ! Il est sûr qu'il **reviendra** un jour sur la scène politique.
Des villes écolo-vélo se sont développées ces dix dernières années. Beaucoup d'habitants se réjouissent que leur ville **accroisse / ait accru** le nombre des pistes cyclables.
Le krach boursier de mars dernier a provoqué de nombreuses faillites. Pour les économistes, c'est la pire crise boursière qu'ils aient **vécue**.

Les tennismen français se sont qualifiés pour la finale. On les félicite pour leur esprit d'équipe qui leur **permettra** de remporter la victoire.
Les dernières journées européennes du patrimoine ont eu un immense succès. Tous les participants ont déclaré que l'organisation **était / avait été** parfaite.

❹ Nous voulons que Dax **redevienne** une ville propre ! L'ensemble des élus trouve qu'il **faut** agir maintenant et que demain il **sera** trop tard ! Il est inadmissible que nos agents de nettoyage **soient obligés** de ramasser mégots, cannettes, chewing-gum, et cela plusieurs fois par jour. Un papier par terre = 68 euros, dommage que vous n'**ayez pas vu** la poubelle, juste à côté ! Et tous ces matériels ou meubles usagés, dans les rues ? Ça ne vous gêne pas d'**abandonner** votre vieux canapé sur le trottoir ? Le seul mot d'ordre que nous **donnions** aux Dacquois : Responsabilité ! C'est l'affaire de tous !

CHAPITRE

6 Le passif

A La forme passive

1 Oui : 1, 2, 4, 5, 6
Non : 3

2 **1.** trouvée **2.** validée **3.** annulés **4.** enregistrés **5.** acté **6.** ajournée

3 **1.** La nouvelle salle de spectacle a été inaugurée hier. **2.** Les dernières collections de prêt-à-porter sont présentées aujourd'hui. **3.** L'établissement thermal sera fermé à la fin du mois prochain. **4.** Un nouvel accord avec les syndicats a été signé au début de la semaine dernière. **5.** Les participants au festival d'Aurillac seront désignés demain. **6.** L'exposition Picasso sera reprise la saison prochaine.

4 Vous serez conduits à votre hôtel où vous serez invités à un dîner par le président avec tous les participants. Le lendemain, vous serez attendus par le responsable du programme pour une rapide présentation avant une journée de travail. Le surlendemain sera consacré à des débats auxquels quelques spécialistes ont été convoqués par notre ingénieur. Enfin, vous serez réunis par madame Larose pour un discours de clôture, puis tous les participants seront reconduits à l'aéroport.

5 **1.** a été relevé par **2.** était couvert de **3.** ont été appelés par **4.** était paralysé de **5.** ont été recueillies par **6.** a été accusé d'

B La forme pronominale à sens passif

6 1. Ces paysages se rencontrent souvent à l'est. **2.** Ces pierres se trouvent principalement près des oueds. **3.** Les tentes se recouvrent de peaux d'animaux. **4.** Ces robes se portent pour les mariages. **5.** Ces bijoux traditionnels se transmettent de mère en fille. **6.** Ces petits objets artisanaux se fabriquent partout.

7 ◀11▶ **Ex. :** Elles se téléphonent régulièrement.

1. Ce mot ne se dit pas en public !

2. Ces poèmes s'écrivent en alexandrins.

3. Il a du mal à se relire.

4. Cette langue ne se parle plus.

5. Ce film doit se voir sur un grand écran !

6. Ils s'écrivent toutes les semaines.

7. Il se parle quand il est tout seul.

8. C'est le genre de roman qui se relit plusieurs fois.

9. Ils ne se voient plus depuis longtemps.

10. Elles ne s'entendent plus depuis plusieurs années.

Sens passif : **1, 2, 4, 5, 8**
Sens actif : **3, 6, 7, 9, 10**

8 1. C'est un alphabet qui ne se déchiffre pas facilement. **2.** Ce niveau de langue ne s'utilise pas dans une situation formelle. **3.** Cet accent s'entend dans le nord de la France. **4.** Ces expressions se rencontrent couramment dans ma région. **5.** Cette forme ne se prononçait pas comme ça autrefois. **6.** À l'oral la langue se simplifie de plus en plus. **7.** La grammaire ne s'apprend plus de la même manière.

9 1. se branche **2.** s'entend **3.** se conduit **4.** s'entretient **5.** se gare **6.** se voit **7.** se vend **8.** se retrouve

10 1. Elle s'est équipée de pistes cyclables. **2.** L'école s'est agrandie de deux classes. **3.** Des façades se sont recouvertes de végétation. **4.** Notre musée s'est enrichi de nouvelles œuvres. **5.** Nos rues se sont ornées de lampadaires design. **6.** La place de la Mairie s'est entourée de bacs à fleurs. **7.** L'entrée du château s'est agrémentée d'une grille. **8.** La salle de réception s'est parée d'une tapisserie.

11 1. s'est fait voler **2.** se fasse rembourser **3.** se faire indemniser **4.** s'est fait agresser **5.** se faire prendre **6.** va se faire installer **7.** se faire dévaliser

12 Sens actif : **3, 5, 7**
Sens passif : **1, 2, 4, 6, 8**

C La forme impersonnelle à sens passif

13 1. Il ne sera accordé aucune dérogation. **2.** Il a toujours été déconseillé de téléphoner en marchant dans la rue. **3.** Il va être prohibé de fumer dans les parcs municipaux. **4.** Il n'est pas permis aux mineurs de participer aux conseils municipaux. **5.** Il a été confirmé que les hommes auront droit à un congé paternité. **6.** Il aurait été prévu de transformer le mode de scrutin.

BILAN

❶ 1. qui a été écrit par Rose Martin **2.** Cet opéra se jouera **3.** Les interprètes ont été choisis **4.** dirigés **5.** beaucoup de monde est attendu **6.** Toutes les places ont été vendues **7.** Les spectateurs sont accueillis par des ouvreuses en costume d'époque **8.** Elles ont été choisies **9.** le spectacle sera retransmis par notre radio **10.** le rideau va bientôt se lever

❷ 1. est prévu **2.** se justifie **3.** être obligés **4.** se sent **5.** n'est plus bloqués **6.** ont été faites / se sont faites / se font / sont faites **7.** a été installé

❸ Hier, Germaine Dublé a été fêtée par tout le village de Salmaise. Deux petits films sur sa jeunesse ont été projetés. Un beau discours pour Germaine a été prononcé par le maire de Salmaise. Des dessins et des fleurs lui ont été offerts par les élèves du village. La cérémonie s'est terminée par des chansons. Fatiguée mais heureuse, Germaine s'est fait raccompagner vers 21 heures.

❹ 1. Le lauréat sera désigné par le jury ce soir. **2.** Les champions ne seront pas reçus par le Président avant samedi prochain. **3.** Des manifestants se sont fait bousculer par des individus casqués hier soir. **4.** Le facteur s'est probablement fait voler son sac par deux jeunes à moto ce matin. / Le sac du facteur a été probablemnt volé… **5.** Tous les membres de la commission seront renouvelés lors du prochain congrès. **6.** Les négociations sont bloquées par les grévistes depuis 48 heures.

CHAPITRE

7 L'infinitif

A L'infinitif présent et l'infinitif passé

1 ◀12▶ **Ex. :** On est déçus d'avoir perdu.

1. Ils ont aimé jouer ensemble.

2. Vous avez apprécié ne pas avoir été sifflé.

3. Je suis ravi d'être qualifié.

4. Tu aurais préféré ne pas t'être blessé.

5. Il a fait comment pour ne pas avoir mal ?

6. Elle ne pouvait plus s'entraîner.

7. Il aurait vraiment voulu marquer un but.

8. Il est heureux d'avoir permis la qualification de son équipe.

Infinitif présent : **1, 3, 5, 6, 7**
Infinitif passé : **2, 4, 8**

2 1. d'avoir voyagé 2. de s'être amusée 3. de s'être fait 4. d'être sortie 5. d'avoir vécu seule 6. d'avoir connu

3 1. Il fera quelques courses avant de rentrer chez lui. 2. Nous viendrons te voir après être passé(e)s chez nos parents. 3. Elle se rendra à la banque avant d'aller à l'agence de voyages. 4. Il prendra les billets après avoir vérifié les horaires du spectacle. 5. Nous coucherons les enfants avant de regarder un film. 6. Ils iront jouer après avoir fini leurs devoirs. 7. Je demanderai les tarifs avant de te tenir au courant. 8. Vous vous arrêterez à la pharmacie après avoir vu le médecin.

4 1. ne plus voir nos amis 2. ne jamais avoir une maison aussi belle 3. ne plus nous promener sur la plage 4. ne pas trouver les mêmes commerçants 5. ne connaître personne 6. ne plus rien faire comme avant 7. ne plus avoir autant de transports publics

5 🎧13 **Ex. :** Est-ce que j'ai bien répondu ?
1. Est-ce que j'ai fait bonne impression ?
2. Est-ce que je me suis bien expliquée ?
3. Est-ce que j'ai été assez claire ?
4. Est-ce que je me suis bien présentée ?
5. Est-ce que j'ai eu les bons réflexes ?
6. Est-ce que je me suis assez mise en valeur ?

1. Je crains de ne pas avoir fait bonne impression. 2. Je crains de ne pas m'être bien expliquée. 3. Je crains de ne pas avoir été assez claire. 4. Je crains de ne pas m'être bien présentée. 5. Je crains de ne pas avoir eu les bons réflexes. 6. Je crains de ne pas m'être assez mise en valeur.

B L'emploi de l'infinitif

6 Sujet du verbe : 4, 8
Après *c'est* : 1
Complément d'un nom ou adjectif : 5, 9
Complément d'un verbe : 2, 3, 6, 7

7 1. est venue me rejoindre 2. nous sommes parties nous promener 3. j'étais contente de pouvoir discuter 4. j'ai couru attendre 5. je suis rentrée les faire déjeuner 6. je suis retournée les conduire 7. je suis partie travailler 8. je suis rentrée me changer 9. je suis descendue prendre 10. de retrouver 11. nous sommes sortis dîner

8 1. Merci d'être là. 2. Je suis désolé d'avoir oublié. 3. Excusez-le de s'être mal tenu. 4. C'est gentil de m'avoir informée. 5. Je regrette de ne pas m'être présenté. 6. Pardon de ne pas vous avoir prévenus. 7. Désolé de ne pas les avoir invités. 8. Nous vous remercions de vous être occupés de nous. 9. Ça m'ennuie de ne pas pouvoir t'aider. 10. Ils regrettent de ne pas s'être inscrits. 11. Pardon de ne pas être en avance.

9 1. de ne pas oublier 2. d'avoir bien fermé 3. de partir 4. d'avoir fermé 5. d'avoir déposé 6. d'avoir pensé 7. de ne pas avoir 8. de ne trouver

10 1. Nous sommes intervenus pour les aider. 2. Ils se sont rencontrés après s'être téléphoné. / Ils se sont téléphoné après s'être rencontrés. 3. Ils avaient relu le dossier avant de s'appeler. 4. L'avocat est venu afin de les tranquilliser. 5. Ils veulent discuter de certains points en attendant de prendre une décision. 6. Ils ont décidé de se revoir de peur d'avoir oublié des éléments. 7. Ils veulent recontacter l'avocat de crainte de s'être peut-être trompés.

C La proposition infinitive

11 1. Ils nous écoutent raconter des histoires. 2. On les fait facilement rire. 3. On ne les laisse pas longtemps pleurer. / On ne les laisse pas pleurer longtemps. 4. Ils nous font souvent expliquer des mots. 5. On les entend souvent chanter. 6. On les regarde se contempler dans le miroir. 7. Ils nous emmènent découvrir leur univers.

12 1. Je les ai fait entrer. 2. Vous l'avez laissé s'inscrire. 3. Elle l'a fait relire. 4. Je l'ai écoutée traduire l'article. 5. Elle m'a laissé réfléchir. 6. Je les ai vus hésiter.

13 1. je l'ai vu porter 2. je l'ai vu descendre 3. Je l'ai aussi entendu se parler 4. je l'ai vu mettre 5. Je l'ai regardé refermer

BILAN

❶ 1. ne pas m'attendre 2. me dépêcher 3. m'en aller 4. me mettre d'accord 5. être retardé 6. dire 7. ne pas l'avoir appelé 8. être obligée 9. prendre 10. les avoir relues 11. les avoir corrigées 12. vous inquiéter

❷ 1. (d')atterrir 2. a vu se lever, se rasseoir et se relever 3. l'ai entendu crier 4. on l'a regardé faire de grands gestes 5. Rester 6. lui a ordonné de s'asseoir 7. elle lui a dit de se calmer, de ne pas s'inquiéter 8. (d')avoir eu 9. ne pas avoir pu 10. m'ont dit avoir déjà vu des gens paniquer

❸ Le commissaire : Vous ne m'avez pas tout dit !
Monsieur Landrin : Si, je pense vous avoir tout dit.
Le commissaire : Vous ne m'avez rien caché ?
Monsieur Landrin : Non, je ne crois pas vous avoir caché quelque chose.
Le commissaire : Vous n'avez jamais vu cet homme ?
Monsieur Landrin : Non, je suis sûr de ne l'avoir jamais vu.
Le commissaire : Et vous ne connaissez pas cette femme ?

Monsieur Landrin : Non plus, je ne pense pas la connaître, non !

Le commissaire : Vous me mentez !

Monsieur Landrin : Écoutez ! Je n'ai aucune raison de vous mentir !

Le commissaire : Hier, vous avez dîné avec ces deux personnes !

Monsieur Landrin : Pas du tout ! Hier, après être allé seul au restaurant, je suis rentré me coucher tranquillement.

Le commissaire : Vous avez un témoin ?

Monsieur Landrin : Je ne peux pas avoir de témoin, je vis seul !

Le commissaire : Bon, reprenons depuis le début…

4 **1.** Soyez sûr de bien connaître votre véhicule. **2.** Réglez vos rétroviseurs pour avoir une vision complète de la circulation. **3.** N'oubliez pas d'attacher votre ceinture avant de démarrer. **4.** Pensez à reprendre la file de droite après avoir doublé. **5.** Assurez-vous d'être toujours maître du véhicule. **6.** Vérifiez que vos phares sont éteints après vous être garé(e)s.

CHAPITRE

8 Le gérondif, le participe présent et l'adjectif verbal

A Le gérondif

1 **1.** *en levant* – en menaçant **2.** en souriant – en le fixant **3.** en réfléchissant – en détournant **4.** en s'énervant – en frappant **5.** en la reconnaissant – en se précipitant **6.** en se mettant – en s'asseyant **7.** en vous retournant – en vous dirigeant **8.** en mettant – en m'en allant **9.** en baissant – en s'approchant

2 **1.** en faisant **2.** en essayant **3.** en voulant **4.** en descendant **5.** en se cognant **6.** en me rasant **7.** en traversant

3 **1.** en me déplaçant la nuit. **2.** En faisant des petits boulots et en logeant chez l'habitant. **3.** En pêchant et en me rationnant. **4.** En marchant jour et nuit et en dormant peu. **5.** En faisant appel à des sponsors et en vendant l'exclusivité de mes photos.

4 **1.** En anticipant, on pourrait respecter les délais. **3.** En appelant, il aura tout de suite l'information. **4.** En me reposant plus, je serais en forme. **5.** En nous concentrant mieux, nous réussirions. *2. et 6. sont impossibles.*

5 **1.** En investissant dans notre société **2.** En réussissant cette vente **3.** En gérant bien son budget

4. En plaçant bien leur argent **5.** En revendant tes actions maintenant **6.** En suivant bien mes conseils

6 **a.** **1.** f **2.** g **3.** a **4.** e **5.** b **6.** d **7.** c
b. **2.** Tu aurais été moins seul en acceptant de la compagnie. **3.** Vous ne vous seriez pas perdue en connaissant mieux la ville. **4.** En partant ensemble, on serait arrivés en même temps. **5.** En me dépêchant, je serais arrivée à temps. **6.** Nous aurions payé moins cher en réservant à l'avance. **7.** En parlant espagnol, nous nous serions mieux fait comprendre.

7 **1.** en ayant un régime plus équilibré. **2.** en faisant de la gymnastique. **3.** en dormant suffisamment. **4.** en mangeant suffisamment de fruits et de légumes. **5.** en sachant contrôler vos émotions.

B Le participe présent

8 **1.** Je revois notre groupe sur le sentier longeant la forêt et menant à la frontière. **2.** Pour arriver au sommet de la colline, il fallait prendre une route serpentant au milieu de la forêt et enjambant une rivière. **3.** Je me souviens parfaitement de ce petit chemin faisant le tour du château et conduisant à l'entrée du village. **4.** Je me souviens de notre amie craignant d'arriver de nuit et se dépêchant par peur du noir. **5.** Il y avait des oiseaux volant autour de nous et criant sans arrêt.

9 **1.** ayant déjà acheté **2.** ne faisant pas partie **3.** n'ayant pas reçu **4.** ne s'étant pas trompés **5.** n'étant pas inscrites **6.** n'ayant pas réservé

10 **1.** S'étant battus et insultés, ils se sont enfuis. **2.** Ayant poursuivi le malfaiteur, le détective a découvert le butin. **3.** Ayant fouillé scrupuleusement, les inspecteurs sont tombés sur des documents secrets. **4.** Étant arrivée chez elle saine et sauve, elle a appelé la police. **5.** Ayant repéré des traces de sang dans la neige, les skieurs ont contacté la gendarmerie. **6.** Ayant plongé à plusieurs reprises dans le lac, les enquêteurs ont retrouvé un coffre. **7.** M'étant aperçu de la disparition des bijoux, j'ai vite alerté les autorités.

11 **1.** ne sachant pas **2.** ayant étudié **3.** Ayant suivi **4.** permettant **5.** Sachant **6.** prévoyant **7.** Comptant
Valeur de cause : 3, 5

12 **1.** N'ayant pas de rendez-vous, vous devrez revenir. **2.** Ne sachant pas qu'il y avait un poste à pourvoir, il n'a pas posé sa candidature. **3.** Les réunions politiques provoquant des bagarres, elles ont été interdites. **4.** N'ayant pas d'assurance, vous ne pourrez pas conduire. **5.** N'ayant pas prévu ce retard, je n'ai pas pu te prévenir. **6.** Ne s'étant pas renseigné, il s'est perdu. **7.** Ne me souvenant pas du chemin, je les ai appelés. **8.** Des heurts s'étant produits, la police est intervenue.

C L'adjectif verbal

13 1. battant 2. émouvante 3. hésitantes 4. embarrassantes 5. influente 6. blessants 7. précédente 8. énervants

BILAN

❶ 🎧14 1. En évitant le dialogue, il énerve beaucoup de personnes.

2. On attend des mesures bouleversant l'ordre établi.

3. Il faudrait des décisions allant vers plus d'égalité.

4. Cet individu a tenu des propos vraiment méprisants !

5. En suivant les débats, je comprends mieux la situation.

6. Ayant écouté son discours, nous sommes assez inquiets.

7. Les gens dînent en regardant les résultats à la télévision.

8. Les paroles entendues jusqu'à maintenant sont troublantes.

9. Ne s'étant pas présenté aux dernières élections, le candidat est vivement critiqué.

10. On voudrait un geste apaisant l'atmosphère.

Gérondif : 1, 5, 7
Participe présent et forme composée : 2, 3, 6, 9, 10
Adjectif verbal : 4, 8

❷ 1. glissant 2. glissantes 3. en glissant 4. En partant 5. partant 6. partantes 7. vieillissants 8. en vieillissant 9. vieillissant 10. provocants 11. en provoquant 12. Provoquant 13. en différant 14. différents 15. différant

❸ Recherchons

Un avocat maîtrisant parfaitement le droit des affaires, justifiant d'une expérience de 5 ans au minimum dans ce domaine, pouvant se déplacer fréquemment à l'étranger et sachant parler couramment l'italien. Pour ce poste nécessitant de nombreux déplacements, le permis de conduire est indispensable. Vous pouvez poser votre candidature en vous connectant sur notre site www.omercando.com.

Recherchons

Un interprète français-turc, possédant une bonne connaissance de la Turquie, connaissant bien Istanbul et ayant une expérience dans le secteur automobile. Poste permettant une rapide évolution et s'adressant à des personnes ne craignant pas les voyages fréquents.
En postulant à ce poste, vous vous engagez à signer un contrat de confidentialité.

❹ – Allô, police ? Je vous téléphone car en rentrant chez moi tout à l'heure, j'ai aperçu un homme pénétrant chez mes voisins par la fenêtre de derrière. Au début, j'ai pensé que c'était un simple voleur mais, en m'approchant, j'ai remarqué que c'était certainement un espion.
– Qu'est-ce qui vous fait dire ça ?
– En regardant à travers la vitre, je l'ai vu photographiant des documents.
– Mais où êtes-vous, là ?
– Je suis caché dans le jardin, je n'ose pas bouger car j'ai vu qu'en fouillant dans le bureau, il avait trouvé un revolver.
– Comment est-il ?
– Il est grand, mesurant au moins 1,90 mètre avec une barbe grise.
– Donnez-nous l'adresse, on arrive.
– Oui mais en attendant, qu'est-ce que je fais ?
– Rien, surtout ne faites rien ! On arrive.

CHAPITRE

9 Le discours indirect

A Les transformations syntaxiques

1 🎧15 Ex. : Je me demande si je sors ou non.

1. Je n'ai pas envie de sortir.

2. Je dois m'excuser si je suis en retard.

3. Qu'est-ce que je dois faire ?

4. Dis-moi ce que je dois expliquer.

5. Je voudrais savoir ce qui vous arrange.

6. Il faut que je sache.

7. Je vous demande de m'aider.

8. Il m'a dit de ne pas répondre.

9. Je n'ai pas répondu.

10. Nous lui avons dit que nous l'appréciions.

Discours direct : 1, 2, 3, 6, 9
Discours indirect : 4, 5, 7, 8, 10

2 1. c 2. i 3. a 4. b 5. h 6. d 7. f 8. e 9. g

3 1. précisent 2. indiquent 3. demandent 4. disent 5. supposent 6. annoncent 7. admettent

4 1. quand il a été ouvert 2. que le cadre a l'air merveilleux 3. que la cuisine présente une grande variété 4. ce qui fait l'attrait de cet établissement

5 1. comment nous avons pris contact avec eux 2. si leurs services ont répondu à nos attentes 3. quelles suggestions nous avons pour améliorer leur accueil 4. si nous acceptons qu'ils mentionnent notre nom 5. quels sont leurs points forts 6. si nous recommanderions leur organisme

6 1. La guide recommande aux visiteurs de ne pas s'approcher trop. 2. On voudrait savoir si c'est possible de toucher les œuvres. 3. Un gardien demande de ne pas photographier les tableaux.

4. On veut savoir si les photos sans flash sont autorisées. **5.** On ne sait pas ce qu'on peut prendre en photo. **6.** L'accompagnateur précise aux enfants qu'il ne faut pas courir.

B Le discours indirect au passé

7 1. qu'il répondrait **2.** qu'il répondait **3.** qu'il allait répondre **4.** qu'il avait répondu **5.** qu'il avait répondu **6.** qu'il venait de répondre **7.** qu'il aurait répondu **8.** qu'il répondait

8 🎧16 **Ex. :** Je finirai demain.

1. Je finissais toujours à 8 heures.

2. Je finirais tôt si j'avais le temps.

3. Je finis aujourd'hui.

4. Je vais finir tout à l'heure.

5. J'ai fini hier.

6. J'avais fini à temps.

7. Je viens de finir.

8. J'aurai fini avant ce soir.

Il a dit qu'il finissait : 1, 3
Il a dit qu'il aurait fini : 8
Il a dit qu'il venait de finir : 7
Il a dit qu'il avait fini : 5, 6
Il a dit qu'il allait finir : 4
Il a dit qu'il finirait : 2

9 🎧17 – Allô Marie ?! J'appelle du Sénégal, je suis à Dakar.

– Comment ça va ?

– Bien, je voyage avec Gaëlle, on vient d'arriver à l'aéroport. On a retrouvé nos amis qui vivent ici et on va bientôt repartir, on ira jusqu'en Angola normalement.

1. qu'il voyageait **2.** qu'ils venaient d'arriver **3.** qu'ils avaient retrouvé **4.** là-bas **5.** qu'ils allaient bientôt repartir **6.** qu'ils iraient

10 1. a dû **2.** Est-ce que vous avez pris **3.** est-ce que vous pensez **4.** votre **5.** va **6.** ne sont pas **7.** nous devons **8.** Je reste **9.** je communiquerai

11 1. étaient **2.** s' **3.** était **4.** qu' **5.** restait **6.** que **7.** serait

12 1. ils allaient **2.** ils étaient arrivés **3.** la veille **4.** que c'était **5.** que là-bas **6.** était **7.** que la mission durerait **8.** ils partiraient **9.** auraient **10.** qu'ils étaient

13 1. pourquoi je rentrais si tard **2.** ce que j'avais fait **3.** avec qui j'étais **4.** où j'étais allée **5.** pourquoi je ne les prévenais jamais quand je sortais **6.** s'il pourrait encore me faire confiance **7.** comment j'étais rentrée **8.** qui m'avait raccompagnée

14 1. s'éloigne **2.** fera **3.** vous devez **4.** il ne faut pas que vous fassiez **5.** n'ont pas reçu **6.** s'inquiètent **7.** pourront

15 1. qu'elle avait eu **2.** qu'elle avait été marquée **3.** qu'elle avait même eu **4.** si elle avait **5.** qu'elle n'avait pas **6.** que ça lui permettrait **7.** qu'elle avait **8.** qu'elle allait collaborer **9.** que ce serait **10.** qu'elle aurait **11.** que rien n'était **12.** qu'elle ne voulait rien

BILAN

❶ 1. était passé **2.** il allait repasser **3.** avait reçues **4.** elles étaient **5.** les apporterait **6.** le rapporter

❷ 1. qu'elle allait partir **2.** son amie qui vivait **3.** partait **4.** qu'elle lui avait proposé **5.** que c'était une aventure qui la tentait **6.** avaient lancé **7.** leur **8.** à consulter leur **9.** de t'en parler **10.** de les aider **11.** on le pouvait / nous le pouvions

❸ Hello les amis ! Comment ça va ? J'ai eu mon premier entretien hier ! Et je suis vraiment surprise par les questions que l'on m'a posées ! Tout d'abord, on m'a demandé quels étaient mes points forts, comment je les avais connus, ce qui m'intéressait dans ce poste, ce que je ferais dans dix ans, quelles étaient mes prétentions salariales, etc. Et puis mon interlocuteur a voulu également savoir qui m'avait appris à faire du vélo, ce que je cherchais dans la vie, quelle était la couleur de mon âme, ce qui se passerait si le soleil ne brillait plus, si je me marierais, etc. C'est curieux, non ?! Vous aussi, vous avez passé des entretiens comme ça ? En tout cas, maintenant j'attends avec impatience le résultat ! À bientôt.

CHAPITRE
10 Les conjonctions de temps

A L'expression de la simultanéité

1 1. au moment où **2.** Le jour où **3.** lorsque **4.** Alors que **5.** Au moment où **6.** tant que **7.** tandis que **8.** Au fur et à mesure que **9.** aussi longtemps qu'

2 1. Quand la Cour est entrée **2.** pendant que le procès se déroulait / s'est déroulé **3.** chaque fois que le juge le questionnait **4.** chaque fois que le public intervenait **5.** Pendant que le jury délibérait / a délibéré **6.** Quand le verdict a été annoncé

3 1. J'ai fait une chute au moment où je passais la ligne d'arrivée. **2.** Au fur et à mesure que je marquais des points, mon adversaire s'énervait. **3.** Tant que la saison n'est pas terminée, il faut garder espoir. **4.** Lorsque je suis monté(e) sur le podium, le public s'est levé. **5.** Il a marqué un but alors que l'arbitre allait siffler la fin de la rencontre. **6.** Pendant que le match se déroulait, les spectateurs applaudissaient sans arrêt. **7.** Quand les joueurs sont sortis, tout le monde était debout.

B L'expression de la postériorité

4 **1.** Dès qu' / Aussitôt qu' **2.** une fois qu' / lorsqu' **3.** dès que / quand **4.** maintenant qu' / depuis qu' **5.** aussitôt que / lorsque **6.** après qu' / dès qu'

5 **1.** Après qu'ils ont écouté nos explications **2.** Une fois qu'ils sont arrivés dans leur nouvelle école **3.** après que nous nous sommes installés **4.** Depuis que nous avons emménagé à Nantes **5.** À présent que la maison est grande **6.** maintenant qu'on a fait des travaux

6 **1.** Après avoir longtemps hésité, le jury du festival a annoncé sa décision. **2.** Après avoir été reçus par le ministre, les étudiants ont mis fin à la grève. **3.** Après avoir échangé longtemps, les ministres se sont mis d'accord. **4.** Après avoir passé deux mois immobilisé, le champion a repris la compétition. **5.** Après être restée plusieurs mois en travaux, l'autoroute est maintenant rouverte à la circulation. **6.** Après s'être posé beaucoup de questions, l'actrice a accepté le rôle.

C L'expression de l'antériorité

7 **1.** Avant que **2.** en attendant qu' **3.** jusqu'à ce que **4.** à mesure qu' **5.** Avant de **6.** jusqu'à ce que **7.** d'ici à ce que **8.** avant que

8 **1.** jusqu'à ce qu'on vous appelle **2.** avant que vous montiez dans l'avion **3.** jusqu'à ce que votre carte d'embarquement vous soit remise **4.** avant que l'avion décolle **5.** avant de faire votre choix **6.** jusqu'à ce que l'avion atterrisse **7.** jusqu'à ce que l'appareil s'arrête **8.** avant de descendre

BILAN

1 🎧 18 **1.** Il gardera la chambre tant qu'il aura de la température.
2. Elles pourront sortir dès qu'elles auront repris des forces.
3. Tu arrêteras le traitement lorsque tu seras en forme.
4. Vous pouvez reprendre le travail maintenant que vous vous sentez mieux.
5. Je suis restée près d'elle jusqu'à ce que la fièvre disparaisse.
6. En attendant que tu ailles mieux, je te prépare les repas.
7. Depuis qu'il prend des vitamines, il a meilleure mine.
8. Valérie marchera avec une béquille aussi longtemps qu'elle aura mal à la cheville.

1. aussi longtemps qu' **2.** aussitôt qu' **3.** quand **4.** à présent que **5.** en attendant que **6.** jusqu'à ce que **7.** maintenant qu' **8.** tant qu'

2 **1.** depuis que **2.** lorsqu' **3.** après qu' **4.** À présent qu' **5.** aussi longtemps qu' **6.** Aussitôt que **7.** jusqu'à ce que **8.** Depuis qu'

3 **1.** Pendant que **2.** jusqu'à ce qu' **3.** Après **4.** au fur et à mesure que **5.** Avant d' **6.** dès que **7.** Quand **8.** jusqu'à ce que **9.** Au moment où **10.** Depuis que **11.** chaque fois que

4 Le pétrolier *Sonia* a fait naufrage au moment où il passait près des côtes sud. Le capitaine a envoyé un signal de détresse aussitôt qu'il a constaté la panne. Mais son navire coulait au fur et à mesure que l'eau entrait dans les cales. Heureusement, l'équipage a pu quitter le bateau avant que celui-ci disparaisse dans la mer. Aussi longtemps que des bateaux en mauvais état navigueront, des catastrophes nous menaceront.

5 Halte à la pollution !
Réveillons-nous avant qu'il soit trop tard !
Depuis que les hommes ne respectent plus la Terre, tout se dégrade !
Maintenant que l'alarme a sonné, il faut réagir !
Alors que la sécheresse s'étend, économisons l'eau !
Évitons de circuler en voiture tant que l'air est pollué.
Quand les industries accepteront de s'engager, un espoir naîtra.
Enseignons à nos enfants les bons gestes au fur et à mesure qu'ils grandissent.
C'est pour leur avenir, pour l'avenir de NOTRE planète !

CHAPITRE

11 L'hypothèse et la condition

A L'hypothèse avec *si*

1 **1.** comprendra – apprend **2.** ne dépensons pas – nous offrirons **3.** feras visiter – connais **4.** vous inscrivez – ne vous ennuierez pas **5.** prennent – profiteront **6.** accueillerons – permet

2 **1.** Si j'étais plus à l'aise, je ne rougirais pas en public. **2.** Si vous réfléchissiez un peu, vous ne diriez pas de bêtises. **3.** Si on n'avait pas le trac, on prendrait la parole. **4.** Si nous osions, nous poserions des questions. **5.** S'ils n'avaient pas peur, ils interviendraient sans hésitation. **6.** Si elle s'exprimait mieux, elle aurait davantage confiance.

3 **1.** Si l'appartement était à vendre et qu'il te plaise **2.** Si elle aimait ce quartier et qu'elle souhaite y emménager **3.** Si ta cousine venait et qu'elle doive trouver un hébergement **4.** S'ils déménageaient cet été et que je sois en vacances **5.** Si ça vous intéressait et que nos dates correspondent

4 1. Si on parlait suédois, on aurait compris. 2. S'ils avaient des diplômes, ils auraient pu postuler pour cet emploi. 3. Si elle n'était pas timide, elle aurait pris la parole. 4. Si je ne portais pas de lunettes, j'aurais pu devenir pilote. 5. S'il n'avait pas le vertige, il aurait accompagné ses amis en montagne. 6. Si vous saviez conduire, je vous aurais prêté ma voiture.

5 1. n'avais pas eu 2. étiez venu(e)s 3. n'avait pas été supprimée 4. n'avait pas dansé 5. n'était pas tombé 6. n'avait pas été fermé

6 1. aviez pris 2. seriez arrivés 3. n'était pas passés 4. n'aurait pas traversé 5. ne se serait pas arrêtés 6. n'aurait pas apporté

7 (19) **Ex. :** J'aurais réussi mon concours si…

1. Vous auriez été acceptée si…

2. Nous aurions fait des études supérieures si…

3. Tu n'aurais pas eu ton bac si…

4. Vous auriez répondu à toutes les questions si...

5. Elles auraient été admises si…

6. Je me serais inscrite en doctorat si…

7. Ils n'auraient pas échoué si…

8. Il serait entré en deuxième année si…

1. Vous auriez été acceptée si vous aviez mieux préparé votre concours. 2. Nous aurions fait des études supérieures si nous avions obtenu une bourse. 3. Tu n'aurais pas eu ton bac si tu n'avais pas pris de cours particuliers. 4. Vous auriez répondu à toutes les questions si vous aviez été attentifs en cours. 5. Elles auraient été admises si elles s'étaient présentées dans les délais. 6. Je me serais inscrite en doctorat si j'avais su l'importance de cette formation. 7. Ils n'auraient pas échoué s'ils avaient travaillé davantage. 8. Il serait entré en deuxième année s'il ne s'était pas amusé sans arrêt.

8 1. Si Christophe Colomb ne s'était pas dirigé vers l'ouest, il ne serait pas arrivé en Amérique en 1492. 2. Si Newton n'avait pas poursuivi ses recherches, il n'aurait pas défini la loi de la gravitation universelle en 1684. 3. Si James Cook n'avait pas cherché le passage du Nord-Ouest, il n'aurait pas découvert Hawaï en 1778. 4. Si Alfred Nobel ne s'était pas rendu en Allemagne, il n'aurait pas fait fortune en découvrant la dynamite en 1886. 5. Si des paysans chinois, en 1975, n'avaient pas creusé un puits, une armée de 6 000 soldats en terre cuite n'aurait pas été mise au jour. 6. Si, en 1991, deux randonneurs ne s'étaient pas promenés dans les Alpes, ils n'auraient pas aperçu une momie âgée de 5 300 ans.

9 1. g 2. d 3. a 4. c 5. e 6. b 7. f

10 1. Même si on l'empêchait de voyager, il voyagerait. 2. Même si on lui avait proposé un hôtel de luxe, elle aurait refusé. 3. Même si vous êtes accompagné d'un guide, vous avez peur. 4. Même si mes amis adorent les découvertes, ils hésitent à participer à l'expédition. 5. Même si nous étions peu préparés, nous nous lancerions à l'aventure.

11 1. Je ne rajoute pas de sel excepté si le plat est vraiment fade. 2. On prendra des biscottes sauf s'il reste du pain. 3. On n'aura pas besoin de recette excepté si ce gâteau est difficile à réussir. 4. N'achetez pas de viande sauf si vous recevez des invités.

12 1. Ils se sont adressés à nous comme si on avait tous été informés. 2. Elle a changé d'avis comme si c'est encore possible. 3. Votre travail manque de rigueur comme si vous n'aviez pas eu le temps. 4. Elles sont à l'aise comme si elles connaissaient tout le monde. 5. Vous nous critiquez comme si nous avions commis une grave erreur. 6. Ils vous font des reproches comme si vous n'étiez pas compétent.

B La condition

13 1. Je veux bien vous montrer le message à condition que vous restiez discrets. 2. Il accepte de nous raconter l'histoire à condition que nous ne la divulguions pas. 3. Ils veulent bien nous dire le nom du suspect à condition que nous ne le publiions pas. 4. Elle vous apportera les photos à condition que vous n'en fassiez pas mention. 5. Je suis d'accord pour lui laisser lire le rapport à condition qu'il ne le traduise pas. 6. Je lui ferai visiter le site à condition qu'il vienne seul. 7. On vous donne des précisions à condition que vous ne les répétiez pas dans votre article.

14 1. en cas d' 2. en cas de 3. au cas où 4. au cas où 5. au cas où 6. en cas de

15 1. à moins que 2. à condition que 3. à moins de 4. à moins qu' 5. à condition d' 6. à moins que 7. à condition que

16 1. Ensuite on ira à l'opéra à moins que nous n'ayons pas le temps. 2. Dans ces petites rues étroites, pour peu qu'il pleuve, la circulation est bloquée. 3. On pourra se promener dans les jardins du Thabor au cas où tu aurais encore du courage ! 4. Nous irons aussi au musée des Beaux-Arts à supposer que les travaux soient terminés. 5. On sera heureux de marcher dans les rues piétonnes à condition que tu ne sois pas fatigué. 6. Pour le trajet, nous contacterons un site de covoiturage à défaut de places en TGV. 7. On mangera des fruits de mer à condition de trouver un bon restaurant.

BILAN

1 1. à condition que 2. Si 3. à moins qu' 4. si 5. à condition que 6. Si 7. si 8. à moins que

❷ 1. n'aie pas d'imprévu **2.** réussissions **3.** annoncent **4.** ne vous convient pas **5.** ait **6.** pleuve **7.** y aurait **8.** serais retardé **9.** hésite **10.** n'y avait pas **11.** ne soit toujours pas **12.** en éprouveriez

❸ Corentin : Alors, je lui demande une augmentation ou non, à mon patron ?
Antoine : Écoute, si tu ne lui demandes rien, il ne te donnera rien.
Corentin : Et si je lui demandais seulement une prime, ça passerait mieux ? Peut-être qu'il me l'accorderait !
Antoine : Tu sais, s'il avait voulu t'offrir une prime, il l'aurait déjà fait, il n'aurait pas attendu que tu lui demandes.
Corentin : Tu vois, si j'avais une augmentation de 3 % seulement, je n'aurais plus ces éternels problèmes d'argent.
Antoine : Et au cas où il refuserait de t'augmenter ou de te donner une prime ?
Corentin : Je démissionnerais ! Je veux bien rester, mais à condition seulement d'être mieux payé.

❹ Intérêt du stage
Même si les échanges ont été nombreux, ils sont restés superficiels.

Qualités de l'animateur
Si l'animateur avait été moins directif, on aurait pu s'exprimer.

Objectif
Nous aurions pris des décisions, à condition d'avoir des informations.

Participation
Je n'ai pas pris la parole, à défaut de chiffres précis.

Avis général
Je recommanderai ce stage à condition que l'organisation soit améliorée.

CHAPITRE

12 Les relations logiques : la cause, la conséquence, le but

A L'expression de la cause

1 1. grâce au **2.** du fait des **3.** Compte tenu de **4.** sous prétexte d' **5.** en raison d' **6.** À cause des

2 1. Le reporter a été fortement critiqué à la suite de son témoignage. **2.** Certains habitants ne peuvent pas se connecter par manque de réseau câblé. **3.** Le magazine perd des abonnés à force de traiter les mêmes sujets. **4.** La chaîne ne varie pas ses programmes sous prétexte d'une bonne audience. **5.** La station a perdu de nombreux auditeurs à cause d'un reportage très contestable. **6.** Cette émission a disparu faute de financement.

3 1. grâce à **2.** à cause de **3.** faute de **4.** sous prétexte de **5.** à force de **6.** vu **7.** à cause de

4 1. e **2.** g **3.** c **4.** f **5.** d **6.** a **7.** b

5 1. par **2.** pour **3.** par **4.** pour **5.** pour **6.** par

6 1. Elle a reçu une forte amende pour ne pas avoir payé le stationnement. Elle a reçu une forte amende faute d'avoir payé le stationnement. **2.** On a été pénalisés pour ne pas être allés au rendez-vous. On a été pénalisés faute d'être allés au rendez-vous.

7 ◀20▶ Ex. : Le trafic est perturbé sur la ligne 13 en raison du malaise d'un voyageur.
1. Suite à un accident sur le périphérique, la circulation est fortement ralentie.
2. Étant donné l'augmentation du prix de l'essence, les protestations se multiplient.
3. Le pont Alexandre est fermé pour travaux.
4. La route est déviée du fait des inondations.
5. Faute de budget satisfaisant, la rénovation du passage est reportée.
6. Vu les difficultés du chantier, on a fait appel à un deuxième architecte.
7. À la suite de découvertes dans les caves, la restauration du château est arrêtée.
8. Les embouteillages se multiplient compte tenu du rétrécissement des voies.

1. À la suite d' **2.** Compte tenu de **3.** à cause de **4.** vu **5.** Par manque de **6.** Étant donné **7.** Suite à **8.** du fait

8 1. Puisque / Vu que **2.** Vu que / Comme **3.** parce que / puisque **4.** du fait qu' / parce qu' **5.** vu que / du fait que

9 1. f **2.** b **3.** a **4.** e **5.** c **6.** d

10 1. On a été d'autant plus déçus de ne pas partir qu'on avait tout préparé. **2.** J'aime d'autant moins partir à l'étranger que j'ai peur de l'avion. **3.** Il a d'autant moins envie de se rendre dans ce pays qu'il y fait froid. **4.** Ce voyage est d'autant plus mémorable qu'il nous a permis de rencontrer des gens fantastiques.

11 1. Si Manu ne va pas voter, c'est qu'il a perdu sa carte d'électeur. **2.** Étant donné que vous résidez à l'étranger, vous votez par correspondance. **3.** Les résultats risquent d'être mauvais compte tenu que les sondages sont catastrophiques. **4.** Puisque tu seras absent, n'oublie pas de me laisser ta procuration. **5.** Ils tardent à se lancer sous prétexte qu'ils n'ont pas de programme précis. **6.** Du fait qu'il n'a pas obtenu la majorité absolue, ce député n'a pas été réélu. **7.** La consultation est reportée sous prétexte qu'il y aurait eu des fraudes.

B L'expression de la conséquence

12 **1.** ce qui explique que **2.** du coup **3.** c'est pour ça qu' **4.** c'est pourquoi **5.** ce qui explique **6.** c'est pourquoi **7.** d'où **8.** donc **9.** d'où

13 **1.** Le voyage a été retardé, ce qui explique qu'elle n'a pas encore prévenu de son arrivée. **2.** Vous n'avez pas pris votre décision, de ce fait vous risquez de rater une bonne occasion. **3.** Nos objectifs ont changé, donc nous sommes face à un choix difficile. **4.** Personne ne l'a rassurée, d'où son inquiétude. **5.** J'ai décidé de rester, alors il faut que je prévienne mes amis.

14 **1.** La nouvelle loi est très contraignante si bien que les comptes ont été rejetés. **2.** Des bénéfices ont été réalisés de telle façon que l'entreprise a embauché. **3.** Les clients se raréfient si bien que le magasin a modifié ses horaires d'ouverture. **4.** Les coûts sont vraiment élevés de sorte que le bilan financier est désastreux. **5.** Les affaires sont bonnes si bien que le patron va ouvrir une nouvelle agence.

15 **1.** Tant de photos sont prises que cela perturbe les visites. **2.** Les informations sur les tableaux sont si petites qu'elles ne sont pas visibles. **3.** Nous avons reçu tant de visiteurs que certaines œuvres ont été abîmées. **4.** Les visites sont si rapides que les visiteurs n'apprécient pas les tableaux. **5.** On se bouscule tellement devant les tableaux que la visite est désagréable.

16 **1.** L'orateur ne parle pas assez fort pour que je puisse l'entendre. **2.** Je suis placé assez près de la scène pour voir tous les intervenants. **3.** Le public est trop nombreux pour qu'il y ait suffisamment de places assises. **4.** Je suis trop intéressé par le sujet pour quitter la salle. **5.** Les réponses sont assez précises pour tout expliquer. **6.** Les intervenants ne sont pas assez passionnés pour que les spectateurs soient attentifs.

17 **1.** Il avait des difficultés respiratoires, à tel point qu'il a été transporté à l'hôpital. **2.** On lui a prescrit des antidouleurs, de telle façon qu'elle peut reprendre ses activités. **3.** Ils se sont tant grattés qu'ils se sont arraché la peau. **4.** Vous souffrez assez pour que le chirurgien intervienne. **5.** Ma cheville est tellement enflée qu'on va me faire une radio. **6.** Il avait trop mal pour pouvoir appeler les secours.

C L'expression du but

18 **1.** Tu ramasses les feuilles en vue de les brûler. **2.** Elles mettent des gants de peur d'un accident. **3.** Je n'utilise pas d'engrais chimiques pour protéger la qualité des plantes. **4.** Elle n'arrose pas beaucoup les fleurs de crainte d'un manque d'eau. **5.** Nous cultivons nos légumes dans le but de manger sainement. **6.** Vous récoltez les fruits sauvages dans l'intention de faire de la confiture.

19 🔊 21 **Ex. :** Nous, on laisse les lumières allumées de façon à indiquer une présence.
1. Nous fermons les volets en vue d'empêcher une effraction.
2. On a une alarme afin que tout le voisinage soit alerté.
3. Mes voisins ont un chien de manière à effrayer les voleurs potentiels.
4. J'accueille un étudiant afin de me sentir mieux protégée.
5. Mes parents mettent la radio dans l'intention de faire croire que la maison est habitée.
6. Je cache mes objets de valeur pour qu'on ne puisse pas les trouver.
7. Ma voisine n'a jamais d'argent chez elle de peur d'être cambriolée.

1. en vue d' **2.** afin que **3.** de manière à **4.** afin de **5.** dans l'intention de **6.** pour qu' **7.** de peur d'

20 **1.** pour que le club puisse participer à la finale. **2.** de peur qu'il y ait encore des problèmes. **3.** de manière que les familles puissent participer à toutes les activités. **4.** de sorte que la piscine soit ouverte à tous. **5.** de façon que les personnes en fauteuil viennent facilement **6.** de crainte que des enfants soient blessés.

21 **1.** dans l'intention de changer de sujet d'études. **2.** pour que vous vous entraîniez. **3.** pour qu'il fasse des progrès rapidement. **4.** de peur de l'affoler. **5.** de manière à rester bien concentré.

22 **1.** Ils refont leur studio à neuf de manière qu'il soit vendu plus facilement. **2.** Nous nous débarrassons d'objets inutiles de peur qu'il n'y ait pas assez de place dans le nouvel appartement. **3.** On agrandit la cuisine de façon à pouvoir y prendre nos repas. **4.** Vous changez de quartier de sorte que les commerces soient plus accessibles. **5.** Tu loues ton appartement afin d'avoir moins de soucis d'argent. **6.** Il prend une colocation de manière à ne pas vivre seul.

BILAN

1 🔊 22 **1.** Les médias traditionnels intéressent moins les lecteurs compte tenu de leur manque d'originalité.
2. Cette émission de radio est ennuyeuse d'où les critiques.
3. En une, tous les journaux ont le même titre pour retenir l'attention.
4. La liberté d'expression diminue au point de rendre les informations contestables.

5. Ce site est connu pour la fiabilité de ses informations.

6. Des émissions sont supprimées de manière à réduire les coûts.

7. Le nombre de diffusions augmente du fait d'une demande du public.

8. À force de regarder les mêmes programmes, on ne critique plus rien.

9. La chaîne a fait des changements afin d'avoir plus de téléspectateurs.

10. Ce documentaire est trop violent pour être diffusé à une heure de grande écoute.

Cause : 1, 5, 7, 8
Conséquence : 2, 4, 10
But : 3, 6, 9

❷ **Étant donné que** le vent souffle (I) **(1)** en tempête, personne ne sort, **si bien que** la ville semble (I) **(2)** abandonnée. L'ouragan est trop menaçant **pour qu'**on essaie (S) **(3)** de sortir. Depuis huit jours, il pleut **tellement que** les rivières sortent (I) **(4)** de leur lit et inondent (I) **(5)** tout, **à tel point que** les habitants se regroupent (I) **(6) de manière que** les sinistrés se sentent (S) **(7)** moins seuls. Après ce cyclone, il faudra beaucoup de temps **pour que** la nature retrouve (S) **(8)** son état d'origine **compte tenu qu'**un arbre repousse (I) **(9)** en deux générations au moins ; **c'est pour ça que**, dans ma région, les paysans disent (I) **(10)** toujours, quand ils plantent un olivier, que c'est pour leurs petits-enfants.

❸ **1.** Compte tenu que les indices sont insuffisants, le voleur est toujours en fuite. **2.** Les recherches ont été accélérées de manière que le dossier soit bouclé. **3.** Étant donné que les circonstances du crime sont incertaines, l'enquête n'avance pas. **4.** Les autorités n'agissent pas assez efficacement sous prétexte que les violences augmentent. **5.** La scène du vol a été interdite de crainte que les empreintes soient effacées. **6.** Le criminel n'a pas été recherché vu que la victime n'a pas porté plainte. **7.** Le cambriolage a été très facile, au point qu'on pense à un coup monté. **8.** Les faits sont trop graves pour qu'il soit condamné à une faible peine.

❹ Publicité !
Depuis que la publicité existe, elle a beaucoup changé. Elle a pris une importance excessive à **cause du** développement des médias, **au point qu'**il est impossible de vivre sans elle. Internet a évidemment renforcé son influence **si bien qu' / de sorte qu'**il est impossible d'y échapper mais **à force** de voir et d'entendre continuellement ces messages, sommes-nous toujours aussi influençables ? On aimerait parfois supprimer la publicité **afin que / de sorte que / de manière à ce que** nos villes puissent rester belles ou **afin de / de façon à** pouvoir regarder une émission sans coupure. Mais **étant donné que / comme / puisque** cette situation est improbable, nous devons supporter ces mini courts-métrages. Parfois assez artistiques, il faut l'admettre. **Vu / Compte tenu de** la concurrence, les agences doivent se montrer créatives. **C'est pourquoi / Ce qui explique qu'**elles demandent de plus en plus l'aide de réalisateurs de cinéma.

❺ Sauvons nos petits commerces !
Les responsables politiques doivent agir rapidement **de peur que** les commerces des centres-villes ne fassent plus partie de la vie locale. Ces dernières années, les collectivités ont favorisé les grandes surfaces commerciales **de sorte que** beaucoup de magasins **ont fermé** et que les locaux n'ont pas été rachetés. On attend que les politiques agissent de **manière que** les propriétaires aient envie d'apporter un renouveau. Beaucoup de sites Internet proposent la commande et la livraison à domicile **de façon que** le consommateur ne **sort plus** de chez lui. Les commerçants réagissent **de crainte que** leur activité disparaisse. Notre municipalité cherche à sensibiliser la population **dans le but que** les habitants se rendent compte de la gravité de la situation et qu'ils viennent signer notre pétition destinée au préfet de la région.

CHAPITRE

13 Les relations logiques : l'opposition et la concession

A L'expression de l'opposition

1 **1.** au contraire de toi. **2.** en revanche, le vôtre porte sur les finances publiques. **3.** par contre, moi, je préfère les mathématiques. **4.** à l'inverse de celle des langues mortes. **5.** mais elle aime la philosophie. **6.** contrairement à ses amis. **7.** au lieu de choisir médecine.

2 **1.** Elle écrit des lettres contrairement à ses amies qui envoient des méls. **2.** Ton appareil photo est automatique contrairement au mien qui est entièrement manuel. **3.** Elles utilisent une messagerie instantanée contrairement à leurs parents qui téléphonent. **4.** Certains s'informent sur les réseaux sociaux contrairement à d'autres qui consultent les sites d'information officiels. **5.** Une de mes amies croit tout ce qu'elle lit sur Internet contrairement à moi qui croise les données pour éviter les infox. **6.** En vacances, je refuse de regarder la télévision contrairement à mon mari qui ne peut pas s'en passer.

3 **1.** Dans ce pays, il y a un accès très facile à Internet tandis qu'ailleurs cet accès est très compliqué. **2.** Autant certaines recherches sont indispensables, autant d'autres ne servent à rien. **3.** Autant les recherches progressent, autant des mystères subsistent. **4.** Alors que la technologie fascine les jeunes, elle fait souvent peur aux seniors. **5.** Autant la science est fascinante, autant elle peut inquiéter. **6.** Si les recherches se développent, l'explication au public manque souvent de clarté.

4 **1.** au contraire de **2.** alors que **3.** tandis que **4.** Contrairement à **5.** Si **6.** en revanche **7.** Autant – autant

B L'expression de la concession

5 **1.** J'ai lu de mauvaises critiques sur ce spectacle mais j'irai le voir quand même. **2.** L'acteur avait promis de rencontrer les journalistes or il a manqué le rendez-vous. **3.** Je veux absolument voir ce spectacle quitte à payer ma place très cher. **4.** Les médias ne s'intéressent pas à cette pièce malgré l'enthousiasme des spectateurs. **5.** L'opéra était magnifique, toutefois j'émets une réserve sur la mise en scène. **6.** Nous avons acheté nos places en dépit des critiques des spécialistes.

6 🎧 23 **Ex. :** Bien qu'elle soit interdite, la manifestation est très suivie.

1. Bien qu'il pleuve, il y a un grand nombre de manifestants.

2. Bien qu'on compte des blessés, les manifestants continuent.

3. Bien qu'il y ait cette émeute, le gouvernement ne réagit pas.

4. Bien que les journalistes soient nombreux, on est mal informés.

5. Bien que tu ne comprennes pas, tu soutiens ce mouvement.

6. Bien que de nombreux policiers soient intervenus, il y a eu des débordements.

1. En dépit de la pluie **2.** Malgré les blessés **3.** En dépit de cette émeute **4.** Malgré le nombre de journalistes **5.** En dépit de ton incompréhension **6.** Malgré l'intervention de nombreux policiers

7 **1.** Cette région est très touristique contrairement à ce que nous pensions. **2.** La durée du séjour a été raccourcie contrairement à ce qui avait été décidé. **3.** Ils ont logé à l'hôtel contrairement à ce qu'ils souhaitaient. **4.** Ils ont très beau temps contrairement à ce qui était annoncé. **5.** Il y a beaucoup de choses à visiter contrairement à ce que vous croyiez. **6.** On n'a pas eu de guide contrairement à ce qu'on nous avait promis.

8 **1.** Quoiqu'il y ait beaucoup d'offres d'emploi, je suis toujours au chômage. **2.** Quoiqu'elle paraisse très méthodique, elle a du mal à bien s'organiser. **3.** Bien que ce job ne soit pas très bien payé, je vais l'accepter. **4.** Bien que j'aie fait plusieurs stages, on ne me trouve pas assez expérimenté. / Bien qu'on ne me trouve pas assez expérimenté, j'ai fait plusieurs stages. **5.** Bien qu'il soit directeur général, il n'est pas toujours sûr de lui. / Bien qu'il ne soit pas toujours sûr de lui, il est directeur général. **6.** Quoique les places soient rares, j'ai déjà eu plein de propositions. **7.** Quoique la situation économique s'améliore, les entreprises n'embauchent pas beaucoup. **8.** Bien que vous répondiez à un maximum d'annonces, vous ne recevez pas d'offre.

9 **1.** Vous refusez de faire vos courses par Internet, quitte à ne pas faire d'économies. **2.** J'achète les produits frais directement aux producteurs quitte à ce qu'il y ait moins de choix. **3.** Quitte à dépenser plus, je préfère consommer bio. **4.** Au restaurant, on choisit d'abord des plats légers, quitte à prendre un dessert aux fruits ensuite. **5.** Chez moi, je prépare tout moi-même quitte à ce que ce ne soit pas toujours très réussi ! **6.** Tu manges sainement quitte à moins varier ta nourriture. **7.** Nous rejetons les surgelés quitte à passer beaucoup de temps en cuisine.

10 **1.** Vous avez beau suivre des cours supplémentaires, vos notes sont médiocres. **2.** Elle a beau avoir une bonne oreille, elle fait des erreurs de prononciation. **3.** Nous avons beau nous concentrer sur ce poème, nous le trouvons très difficile. **4.** Vous avez beau faire des efforts, ça ne suffit pas. **5.** Ils ont beau répéter leurs leçons tous les jours, ils ne les retiennent pas. **6.** Tu as beau apprendre par cœur, tu oublies encore des mots.

11 **1.** On s'est perdus sans s'en apercevoir. **2.** Tu as posté la lettre sans que je la lise. **3.** Elle s'est inscrite sans rien dire. **4.** Il a pris la parole sans la demander. **5.** Vous avez réservé sans que je le sache. **6.** Ils sont entrés sans que tu t'en rendes compte.

12 **1.** Quoi que **2.** Quoi qu' **3.** Quoiqu' **4.** Quoi qu' **5.** Quoique **6.** Quoiqu'

13 **1.** Elle ne grossit pas quoi qu'elle mange. **2.** Qui que vous sélectionniez, je ferai équipe avec lui. **3.** Quoi que les autres puissent dire, je ne changerai pas d'avis. **4.** Où que j'aille, je découvre de nouvelles cultures.

14 🎧 24 **Ex. :** Quelle que soit l'heure de votre rendez-vous, vous devez être ponctuel.

1. Quel que soit le sujet de la réunion, il faut le préparer.

2. Pour réussir, il faut des motivations, quelles qu'elles soient.

3. Quelle que soit votre méthode, vous devez en avoir une.

4. Quelles que soient nos qualifications, on doit toujours apprendre.

5. Quels que soient vos objectifs, énoncez-les clairement.

6. Mobilisez vos compétences, quel que soit le domaine !

7. Quels que soient les résultats, vous devez les en informer.

8. Nous resterons tous motivés, quelle que soit la décision.

Quel que : 1, 6
Quelle que : 3, 8
Quels que : 5, 7
Quelles que : 2, 4

BILAN

❶ **1.** Alors qu' **2.** contrairement à ce qu' **3.** sans qu' **4.** autant **5.** autant **6.** tandis que **7.** si **8.** Or **9.** contrairement à ce que **10.** sans que

❷ **1.** Bien que j'aie dit la vérité, vous ne me croyez pas. **2.** Nous avons fait des efforts contrairement à eux. **3.** Si elles sont généreuses, elles commencent aussi à se lasser. **4.** Quoique tu sois vraiment distrait, on peut te faire confiance. **5.** Où que vous soyez parti, nous gardons le contact. **6.** Il avait tendance à la complimenter alors qu'elle faisait des erreurs. **7.** Vous avez triché sans que personne le voie / l'ait vu. **8.** Quoi que je fasse, il est toujours content.

❸ Monsieur le Maire,
En dépit de plusieurs pétitions que nous avons déjà envoyées, vous avez décidé de ne pas entendre l'opinion de vos concitoyens **contrairement** à votre prédécesseur. Si nous sommes patients, nous avons **cependant** notre amour-propre. La liste de nos critiques est longue, nous nous contenterons de quelques exemples significatifs.

Concernant, par exemple, le projet de restructuration du centre-ville, nous **avons beau** vous avoir demandé un rendez-vous, vous ne nous avez jamais répondu. Par ailleurs, la destruction du petit centre commercial s'est faite **sans que** personne soit consulté.

Quant à la sécurité routière, **bien que** nous vous ayons écrit plusieurs fois, rien n'a été fait pour sécuriser les écoles.

La situation a suffisamment duré. **Quoi que** vous fassiez dans l'avenir sans consultation préalable, vous nous trouverez sur votre chemin.

Nous vous prions d'agréer, monsieur le Maire, nos salutations distinguées.

❹ **Français :** En dépit de sa maladie, Elvira obtient des résultats honorables.

Mathématiques : Malgré ses absences, Elvira a rattrapé son retard en mathématiques.

SVT : Contrairement à sa moyenne en français (qui a progressé), celle en SVT a baissé.

Appréciation globale : Elvira a beau avoir eu des problèmes de santé, elle passera dans la classe supérieure.

Niveau de la classe : Bien qu'une amélioration de la participation soit visible, les résultats de la classe restent moyens.

INDEX GRAMMATICAL

Les numéros renvoient aux chapitres.

INDEX DES OBJECTIFS FONCTIONNELS

Les numéros renvoient aux chapitres.

Les personnes

> Pour caractériser une personne 3

> Pour décrire une personne 1

> Pour dire à quelqu'un de faire quelque chose 2

> Pour donner
> – un conseil 2, 4, 8
> – une directive 2
> – une instruction 2, 7

> Pour exprimer / formuler
> – des regrets 4, 7, 8, 11
> – un remerciement 7
> – un reproche 4, 8, 11
> – un souhait 4, 5
> – une demande polie 4

> – une excuse 7
> – un doute 5
> – un effort inutile 13
> – un imaginaire 4
> – un jugement 5, 7
> – un sentiment 5, 7
> – une conviction 5
> – une émotion 5
> – une incertitude 5
> – une opinion 5, 7, 13
> – une volonté 5

> Pour faire une suggestion 4

> Pour rapporter les paroles,
> les propos de quelqu'un 9

> Pour se justifier 11

Achevé d'imprimer en Italie par L.E.G.O. S.p.A.
Dépôt légal : Novembre 2019 - Collection n°23 - Édition 02 - 76/7347/3